Lidia Ost

CYGAN
TO

CYGAN

Lidia Ostałowska

CYGAN TO CYGAN

Projekt okładki i opracowanie graficzne
Dominique Roynette

Redaktor
Barbara Brzezińska

Edytor
Hanna Cieśla

Korekta
Iga Trzaska

Skład, łamanie
Pracownia Graficzna „Dąbrowa"

ISBN 83-7163-204-5

Wydawnictwo Książkowe Twój STYL
Warszawa 2000
Wydanie pierwsze

Cena 30 zł

Droga Pani Lidio –
Drogi Panie Piotrze,

Gorąco solidaryzuję się z Wami w Waszych
tak znakomicie podpatrzonych, odczutych
i utrwalonych cyganianach.
Bywałem na tych wsporzeliczonych drogach i
bezdrożach. Już mnie tam nie ma, ale jakoś
uzupełniamy się: Wy macie widoki na przyszłość,
ja – na przeszłość. Podobne są u Cyganów te
dwie strony czasu!
Za Waszą pomyślność wznoszę toast mlekiem wydo-
jonym z księżycowej krowy.

————— Teny Ficowli

Warszawa, 2. VII 1999

N.-Waj 10. 2005r.

Proga Nataszo!°

Mam nadzieję, że nie masz w posiadaniu
tej księgi, ani jej nie czytałaś. Zrobiłem
dziś zupę i zasoliłem za bardzo. Ale
żeby na świecie były tylko takie problemy,
no nie?.. Masz dziś przyjechał wieczorem.
Bardzo mnie to cieszy i Lubię cię bardzo!
Pakuję właśnie prezenty dla Ciebie, bo jutro
Twoje urodziny. Sto Lat życzę – Szabel

Romkowi Kwiatkowskiemu
z Oświęcimia dziękuję
za wędrówkę
po świecie Cyganów

LIMALO SZUKA PRAWDZIWYCH CYGANÓW

Polski Cygan Limalo jedzie do Rumunii. Chce zobaczyć wioski Wyżyny Transylwańskiej i zejść na dno cygańskiej nędzy. Bo może w tej krainie głodu tętni życie, za którym tęskni. Może Cygan kocha tam jeszcze Cygana. Limalo wybiera się do miasta Sibiu. Mieszka tam cygański monarcha Ion Cioaba. Jest ulubieńcem rumuńskiego prezydenta. U wiedeńskich złotników król zamówił sobie kilogramową koronę, potem puścił się w podróż po stolicach świata. Przyjęła go nawet angielska królowa. – Napluję mu do mordy – zapowiada Limalo.

Cygan to Cygan. Węgierski nauczyciel, mołdawski pastuch, filozof ze Słowacji, krawiec z Czech – wszyscy są braćmi. Tak myśli Limalo. Chce, żeby w tej rodzinie było miejsce dla żebraka. Jedzie, a po powrocie ma zamiar powiedzieć: – Rumuńskie Cygany biedne są, ale uczciwe. Ja tam byłem.

W Comana de Jos cygański obszar to skraj wioski. Od przystanku idzie się wzdłuż obejść, które należą do gadziów, czyli obcych. Ich domy są zielone albo żółte, pomalowane dawno temu. Rolety zaciągnięte.

Bliżej tamy stoją zabudowania Cyganów. Można je poznać po śladach na tynku, metr nad gruntem. Spiętrzona woda co roku wylewa. Cygańskie domy do niedawna były mniejsze niż rumuńskie. Teraz dobudowano do nich nowe izby, a okna zabito deskami. Cyganów nie ma. Wyjechali do Polski na żebry. Zostało tylko kilka rodzin. Na ostatnim podwórku przed tamą stoi krzesło. Na krześle poduszka, żeby było miękko. Na poduszce Limalo.

Limalo jest Kelderaszem. To grupa cygańskich kotlarzy. Wywodzą się z Wołoszczyzny i Mołdawii. Byli tam niewolnikami bojarów wystawianymi na sprzedaż. Rumuńskie słowo *robi*, czyli niewolnik, do dziś oznacza tam Cygana. W połowie ubiegłego wieku zniesiono niewolnictwo. Wkrótce hordy oswobodzonych Cyganów ruszyły na zachód i północ. Najpierw pojawili się w Galicji, potem na innych polskich ziemiach. Wielu zostało. Wśród nich przodkowie ojca Limalo.

Limalo ma pod Warszawą willę z wieżyczką, rodzinę, prowadzi interesy. Kilka dni temu wsiadł w pociąg, potem tłukł się autobusami, by spocząć na poduszce w Comana de Jos. Tu się wychowała jego matka: – Mama do śmierci nosiła czerwoną spódnicę.

Limalo urodził się krótko po wojnie. Żył w taborze, chodził z matką po wioskach żebrać, wróżyć. Czasem gospodarze szczuli ich psami (do dziś ma blizny na pośladkach), ale zwykle wyciągali grosik. Matka kupowała papier i ołówki. – Uczyła mnie czytać i pisać po rumuńsku. Opowiadała, jak żyją tamtejsze Cygany.

Nie zobaczyła już rodzinnej wioski. Gdy w latach sześćdziesiątych gadzie z całej Europy Środkowej i Wschodniej zabronili Cyganom wędrować, dziadkowie Limalo zatrzymali się kilkadziesiąt kilometrów od Comana. Limalo odwiedził ich z matką. Był jeszcze bardzo młody. Poznał Sofię. Tak się zakochał, że w Polsce kradł, byle do Transylwanii przywozić pierścionki. Odsiedział te cacka, nie kradnie. Sofię wziął daleki krewny, a Limalo rozkręcił handel dywanami. Pomogła mu siostra z Niemiec. Ożenił się i ma już wnuczkę.

Trzy lata temu do podwarszawskiej willi Limalo zapukał młody rumuński obdartus. Seplenił: – Psysyła mnie Sofia, moja mama, jestem Danciu. Limalo cygańskim zwyczajem ucałował Danciu w usta, nakarmił, napoił i ubrał. Znalazł mu pracę na czarno.

Po Danciu przyszli następni Cyganie z Rumunii, po nich inni. Prosili, żeby przyjął ich na parę nocy. Kazał żonie słać łóżka, opróżniać lodówkę. Żądał, by szykowała im jedzenie super. By w jego domu każdy żebrak kładł się do białej, wykrochmalonej pościeli, a czasem nocowało kilkunastu. Musiała biegać dla nich do apteki, prowadzić do łazienki dzieci z wszami. On je strzygł. Tłumaczył żonie:

– Rumuńskie Cygany nie są winne, że siedzą na betonie i uniżają swoją godność. Zawiniło ichnie życie.

Żona wyprowadziła się przed rokiem.

Limalo w drodze do Transylwanii powtarza: – One biedne są, ale uczciwe. Powinniście nie taić, co tam zobaczą wasze oczy.

Podwórko bez trawy w Comana de Jos, poduszka. Limalo przy świątecznie zastawionym stole. Naprzeciw niego mężczyźni: Truli, Goca, Calo. Kobiety: Marcella, Tereza i Ewa – rozdmuchują żar w ognisku, mieszają w garnku, potem stają pod spękaną żółtą ścianą.

Pierwszym, który wyjechał do Polski, był Truli. Zaraz po rewolucji grudniowej (1989). Wcale się tam zresztą nie wybierał, chciał do Niemiec. Wciąż chce: – Jakby mi tera dali wizę, to zostawiam ten stół w Comana, kiełbasę i wódkę.

Próbował przejść zieloną granicę, nie wyszło. Ale przekonał się, że i w Polsce można zarobić. Dał cynk sąsiadom z Comana.

Jechali autokarami, bo taniej. Bez grosza, bez znajomości języka. Docierali do większych miast. Zimą spali na dworcach, latem obok dworców, na trawnikach. Pałowała ich policja, bili skini, zaczepiali pijacy, przeganiała służba ochrony kolei. Znaleźli sobie bezpieczniejsze miejsca na wysypiskach, pod mostami. Tam starym cygańskim sposobem budowali koliby, mieszkali jak dziadowie. Wygrzebywali dziurę w ziemi i ustawiali konstrukcję z gałęzi ściętych w nadrzecznych chaszczach albo parkach. Dziadowie poszywali kolibę tkaniną, którą z baraniej przędzy potrafią tkać rumuńscy gadzie lub oblepiali szałas gliną zmieszaną z końskim łajnem. Teraz musiała wystarczyć tektura, skrzynki po mandarynkach, obżynki papy, kawałki dykty. Kelderasze, którzy nie zapomnieli kotlarskiego fachu, na zwałkach śmieci, przy zajezdniach szukali beczek po ropie. Z każdej robili dwa piece. Mieli już polskie domy, czasem niewiele gorsze od rumuńskich. Mieszkali w nich kilka miesięcy. Rano zabierali się do pracy. Wychodzili grupkami, niosąc rekwizyty: dzieci przy piersi, kule, białe laski, czarne okulary. Wracali o zmierzchu objuczeni tobołkami. Były w nich ciuchy, stare buty, nadgniłe banany, połamane zabawki. Także łopaty, styliska, kanistry, święte obrazki, przetarte dywany, szmatki na wstążki.

Wiele z tych polskich darów jest w Comana.

Po kilku latach pogranicznicy w Medyce zaczęli robić problemy – odsyłali rodziny z dziećmi nie wpisanymi do paszportów.

Marcella, żona Truli: – Uczyłam córki. Mówiły za mną: „Jestem głodna", „Pani dobry", „Pani daj", głaskały nogę albo rękę. Przynoszą mi 10 marek dziennie.

Truli: – Za Ceauşescu zachrzanialiśmy w kołchozach i na fabrykach. Tu w okolicy jest cementownia, cegielnia, celuloza. Wyrzucili nas po rewolucji, jak wszystko robili prywatne. Ziemi też nam nie dali, najmujemy się u gadziów.

Marcella: – Ja wiem, że w Polsce dzieci cierpią. Ale utrzymują siebie i dorosłych. Dlatego tu chodzą ubrane, mają jeść, śpią na łóżku, a niektóre rodzice kupują nawet telewizor.

Więc gdy pogranicznicy w Medyce zażądali haraczu (sto marek od dziecięcej głowy), Cyganie zapłacili. Mieli marki, ciułali na naprawę domów zalewanych przez wodę i na cegły. Postanowili – zostaniemy w Polsce dłużej. Zostawali ci z Comana de Jos i z innych wiosek. Opanowali place i ulice, klatki schodowe i schody kościołów, bazary, stacje benzynowe. „Pani dobry". „Pani daj".

Polscy gadzie niczego o nich nie wiedzieli. Jak żyją tutaj, jak tam? Czy napadają? Czy kradną? Może roznoszą choroby? Nie wiedzieli, co czują, patrząc na ich brudne dzieci, na drżące matki w szmatach przycupnięte na chodnikach. Złość? Obrzydzenie? Triumf? Strach? Ale wiedzieli, że trze-ba coś zrobić z tą armią. Co roku w Polsce koczowało dwieście tysięcy rumuńskich Cyganów. Każdemu przy wjeździe kazali okazywać 500 marek. Tym, którzy zostawali dłużej, znakowali paszporty.

Cyganie nazywają ich stemple *ferbuto* – zakaz wjazdu na rok.

Calo, mąż Terezy: – Rumuny mają prywatne autobusy. Biorą towar na handel i nas. Podjeżdżają do Braszow albo się spotykamy we wiosce. Szofery liczą 150 marek od osoby, ale znają ludzi na granicy. I nie ma znaczenia *ferbuto*.

Calo buduje dom. Przez cztery lata użebrał z rodziną 12 tysięcy marek: – Kiedyś byliśmy biedni, dziś każdy żyje z pieniędzy i dla pieniędzy. Strop robi mu cieśla – gadzio. Właśnie przyszedł na obiad, a Limalo nalewa wódki. – Nico, powiedz, czemu Rumuny nie lubią Cyganów?

Nicolae: – Bo jeżdżą na żebry, a my nic, jesteśmy puści.

Calo: – Nie narzekaj. Masz 20 arów ziemi i narzędzia. Za dach ci płacę.

Nicolae: – Myślisz, że mi tak dobrze? Chętnie bym zapuścił brodę, założył cygański kapelusz i pojechał, tylko z kim.

– Ja cię zabiorę – mówi Calo. Nicolae wykręca się, że jest za stary.

Co innego Gica, trzydziestolatek po maturze, Rumun. Bez brody, ale w kapeluszu.

Kiedy Gica zobaczył, że Cyganie przywożą do Comana de Jos fajne pieniądze, naradził się z żoną i rzucił cementownię. Pojechał do Tarnowa. Pięć dni nie pił, nie jadł, nie palił. Szóstego spotkał znajomych z Comana. Cyganie wyuczyli go rzemiosła. Na przykład: żeby zdobyć fajkę, trzeba do ust przyłożyć palce i powiedzieć: „Cygar, cygar". Po roku Gica powiększył lepiankę i ściągnął żonę i dzieci. Znów minął rok. Gica kupił używaną dacię i przy okazji prawo jazdy od znajomego Limalo.

Żona Gicy po polsku: – Warszawa, Żabrze, Katowic, Tarnowie, Krakowie, Tarnowskie Góry... Cieść! Sto lat!

Limalo siedzi na swojej poduszce, popija kurczaka szampanem i patrzy, jak toczy się cygańskie życie. Są dzieci, umorusane, bez majtek, z gilami do pasa. Musiał wyglądać tak samo – *limalo* to po cygańsku smarkaty. Dzieci ciągną po podwórku stary wózek. Są kobiety, podkładają do ognia. Nie tak je sobie tutaj wyobrażał. Dlaczego nie wplatają do warkoczy wstążek? Noszą po kilka spódnic, ale czemu nie są to już spódnice czerwone, kelderaskie? Gdy na spódnice Ewy popatrzeć pod światło, widać nogi. To miłe, ale tak być nie powinno, bo kobiety od pasa w dół są skalane. Dobrze chociaż, że noszą fartuchy chroniące przed kalającą mocą ciała, że pilnują misek: osobna dla nich, osobna dla mężczyzn, jeszcze inne do nóg, do twarzy, do prania, do płukania mięsa i fasoli.

Kuzyni Limalo podnoszą kieliszki, polewa Gica. Ten gadzio zasiedział się chyba za długo. Dobrze żyć w zgodzie, lecz Cygan musi być Cyganem. Zostają sami. Kuzyni pytają o wieści. Rodziny się rozproszyły – matka w Rumunii, ojciec w drodze, dziecko w Polsce. Tym w Polsce Limalo załatwia noclegi w hotelach robotniczych i kontakty na bazarach, żeby żyli jak ludzie, zarabiali, zamiast żebrać. Jeździ z nimi po lekarzach, po urzędach, na giełdy samochodowe, chroni przed deportacją, ratuje z więzienia. Przez ostatnie trzy lata wyciągnął kilkunastu aresztowanych za kradzieże i rozboje.

Opowiada kuzynom, co się komu w Polsce przytrafiło. To jest cygańska poczta, zastępuje listy, telegramy, telefony. Informuje, jak radzą sobie kelderaskie rody. Co u Ciurarów? Siedzą pod Szczecinem. A Cerhara? Byli w Warszawie, ale musieli się wynieść na Śląsk, bo ich przegonili Piculeszti. Buburoza? Kombinują, jak zwykle, próbują wejść w przemyt do Rosji. A co się dzieje tu, w Comana?

Źle Limalo. Do wuja Gocy przyszło czterech Buburozów, mieli noże. Powiedzieli, że to jest *Romano Kris* – cygański sąd. Bo Goca właśnie wrócił z żebrów. Wyciągnęli starą sprawę – podobno kiedyś przy sprzedaży konia ojciec Gocy oszukał Cygana. Kazali mu wyrównać krzywdę i odebrali 500 marek. Belan na targu w Făgăraş spotkał Buburozę z Bukaresztu. Jak on się cwaniakował, strugał bonzo! Mówił, że nikogo się nie boi, bo jest w rumuńskiej mafii zorganizowanej. Limalo, oni nie tylko gadziów okradają. Oni rabują Cyganów!

A co u Sofii?

Widzisz sam, Danciu wrócił z Polski i nam go tu przysłała. Siedzi w Comana trzeci miesiąc, kryje się przed wojskiem. Wszyscy wiemy, że w wojsku sobie nie poradzi. Sofia chce, żebyś go zabrał do Polski.

Poranek. W ostatnim domu przed tamą Cyganie powstawali z barłogów i łóżek. Trochę im ciemno, bo okna są małe. W półmroku wnętrze wygląda przytulnie. Dywany zasłaniają spękaną podłogę, rysy na ścianach. Poszarpaną tapetę zakrywa aureola katolickiej Matki Boskiej. Ze sznurków pod sufitem kobiety ściągają spódnice, parzą kawę. Danciu szykuje najlepsze ubranie. Biała koszula, mokasyny, czarne spodnie. W spodniach dziura. Marcella zaszywa ją różową nitką.

Pożegnanie. Wuj Goca wsuwa krewniakowi do kieszeni dwieście marek, Ewa chlipie, Limalo przegląda paszport Danciu. Jest *ferbuto*.

Podwórko krzyczy po cygańsku.

Limalo wyjaśni później: – Danciu nic o tym nie wiedział. On jest jak duże dziecko. On prawie nie czyta.

Kiedy Danciu był mały, Sofia nocą poszła z nim na pole kraść kapustę. Ktoś ich przyłapał i matka uciekła. Danciu aż do świtu leżał w bruździe. Od tej pory zrywa się z krzykiem po nocach. – Nieśmiały jest. Inny niż inne Cygany.

Podwórko milknie. Danciu stoi ze spuszczoną głową.

O czym myśli teraz Limalo? Pewno się na nich wszystkich wścieka, tak jak na swoje stare polskie ciotki, gdy razem oglądają telewizję. Ciotki nie rozumieją, każą sobie wszystko opowiadać. Czasem odmawia. Myślą, że to z zarozumialstwa, i drwią: – Takiś mądry? Zjedz moją pizdę. Zjedz mi nogi. A może złości się na siebie. Po co przed tymi Cyganami udawał potężniejszego, niż jest? Teraz na niego liczą. Czy ma się przyznać do klęski? Albo wspomina, jak zapukał Danciu, jak go poił i karmił, jak polubił.

Limalo odzywa się krótko po cygańsku, przytula chłopca i razem wychodzą na drogę.

Dla Cygana droga jest szkołą. Limalo ma osiem klas i wciąż się uczy: w pociągach, w autobusach, na przystankach, w kawiarniach, w urzędach i w sklepach. Rozmawia. Bywa kupcem, dziennikarzem, dyplomatą, muzealnikiem, przemytnikiem, profesorem. By się nie nudzić i jak najwięcej się dowiedzieć. Czasem plącze się we własnych kłamstwach, więc wybucha awantura. To nic, bo jest w niej podniecenie, gniew, ryzyko, strach.

Limalo, nim dotarł do Comana de Jos, brał lekcje. *Tigani* – po rumuńsku Cygan. Ciemniak, prymityw, oszust, brudas, śmierdziel, złamas, bandzior, leń. Wyzwisko. Cygan – po rumuńsku *Rom*. Romów jest tu dwa pół miliona. 80 procent żyje w nędzy; ponad połowa dorosłych nie ma pracy; ponad połowa nie czyta, nie pisze; ponad połowa dzieci się nie uczy; co trzecie dziecko umiera. Romowie mają pełnię praw obywatelskich, inteligencję, prywatną rozgłośnię radiową, wydawnictwo, przedstawicieli w gminach, w ministerstwach, w parlamencie i 50 stowarzyszeń. ROM – skrót nazwy Romania w paszportach. Wprowadzono go dwa lata temu. Rumuni zaprotestowali. Cyganie również. Zażądali, by słowo „Rom" zamienić na „Rrom". Kiedyś szeptano, że Ceauşescu jest Cyganem. Dziś mówi się tak o prezydencie Iliescu.

Trzy czwarte Rumunów przyznaje, że nienawidzi Cyganów. Od 1989 r. miało miejsce 37 zajść na tle etnicznym. Zginęło 13 Cyganów. Ilu Rumunów ucierpiało, nie wiadomo.

Droga jest szkołą, teraz w drogę ruszył Danciu. Koszula, mokasyny, spodnie załatane różową nitką i marki wuja Gocy to wszystko, co wziął. Pilnuje się swego mistrza. A Limalo: „Leć po piwo, leć po papierosy". Danciu leci i wraca, Limalo się wścieka:
– Ja go traktuję podle, a on pozwala. W Polsce Limalo chce zrobić z Danciu faceta.

Ale najpierw muszą się tam dostać. Jadą do Făgăraş. Bank: liczą pieniądze, część wymieniają na leje. Poczta: telefony. Tuż obok poczty jest bazar. Dzień targowy, przed bramą zakurzone dacie, wozy. Wśród zwykłych koni taki, który należy do Cygana – ma przy uprzęży czerwone ozdoby. Limalo przepycha się przez tłum. Widać pstre bluzki, czerwone spódnice. Zwykle rozmowę zaczyna się tak: – Bądźcie szczęśliwi! Z jakich jesteście Cyganów? (Tych można poznać po kolorach – Kelderasze). Potem ustala się ród, szuka wspólnych znajomych.

Danciu milczy, Limalo gada i gada. Gdy się rozstaną, wyjaśni: – Znam ich z Polski. Te Cygany są mi winne parę marek. Umówiliśmy się za trzy dni.

Restauracja. Limalo zamawia schabowy, Danciu rybę. Lecz opieszały kelner się myli. Danciu patrzy niepewnie na sztućce, bo nigdy nie jadł widelcem i nożem, i dokonuje wyboru: widelec. Mówi z ustami pełnymi kotleta: – Ta ryba nie ma igieł! Jest lepsza od mięsa. W wioskach biednych jak Comana je się dwa razy dziennie. Rano mąkę kukurydzianą ugotowaną na gęsto – mamałygę, a przed wieczorem zupę fasolową. Latem paprykę, pomidory, zimą wędzoną słoninę ze świń zabitych na święta. I od wielkiego dzwonu kurę.

Ulica w Făgăraş. Danciu staje jak wryty, pokazuje palcem: – Murzyn!

Hotel. Czy srebrne kwiaty na różowym tle to tapeta czy pomalowane? Danciu głaszcze ściany, ogląda białe meble, kaloryfer, maca lakier na podłodze. Wzywa do łazienki Limalo, pyta, jak posługiwać się prysznicem. Limalo każe mu uprać koszulę. Danciu trze ją posłusznie, bierze podsunięty wieszak, wsuwa koszulę na poprzeczkę pod ramiączkiem. Limalo ze złością: – Nie tak! Danciu obraca wieszak i znów robi to samo.

Transylwania: zimne poranki, góry w chmurach, rzeki – kobiety piorą kijankami, drogi – furmanki na drewnianych kołach z metalowymi obręczami, świnie, bydło. Domy z krowiego łajna, z kamienia, z cegły polepionej gliną. Poletka jak ogródki. Nowe rumuńskie doświadczenie – własność. Wieczorami pól strzeże gwardia obywatelska, by nie zginęła nawet kolba kukurydzy.

Cygańskie przeznaczenie – ucieczka. Kiedyś przed banicją, szubienicą, stosem, dziś przed głodem. Do Bukaresztu, ale to jeszcze za blisko. Do granicy. Przez Ukrainę, Węgry, Czechy, Słowację, Polskę do Niemiec. Do Francji, Włoch. Do Skandynawii i Szwajcarii. Jak wtedy, po zniesieniu niewolnictwa, hordy rumuńskich Cyganów opanowują Europę. W Berlinie runął mur, w Warszawie i Pradze wybory, Związek Radziecki nie istnieje. Ale oni nic o tym nie wiedzą, drżą w szmatach na wielkomiejskich chodnikach. A gdy podnoszą wzrok, widzą neony.

Limalo: – Te rumuńskie Cygany się gubią. Czasem są pod gardłem w błocie i w tej godzinie, w tej minucie wyciągają do mnie rękę. Czy ja mam dobić ich głęboko? Niech ja ich już zostawię w błocie albo jak mogę, to wyciągnę. Nie zawsze za pieniądze. Pan Bóg widzi to wszystko.

W Porumbacu pytają Limalo o drogę do Indii. Stary Petre: – Mój dziadek i mojego dziadka dziadek urodził się w Porumbacu. Więc myśleli, że są stąd. Znają tę wioskę, odkąd sięgają pamięcią. Kiedyś zimą i latem mieszkali w namiotach. Robili garnki, kuli konie, chodzili na pole z kosą. Nie brakowało im pieniędzy. Z gadziami żyli jak w rodzinie. A teraz gadzie mówią im, żeby wracali, skąd przyszli.

Cyganie opuścili Porumbacu tylko raz. Było to w czterdziestym drugim roku. Do ich namiotów podeszli żandarmi, kazali się pakować. Mówili: „W Besarabii każda rodzina dostanie ziemię i mieszkanie". Więc Cyganie zaprzęgli konie, wzięli kołdry, garnki, złote monety, poduszki. Po trzech miesiącach tabor stanął na polanie. Żandarmi zostawili Cyganom tylko to, co mieli na sobie. Wkrótce ubrania zmieniły się w szmaty okręcane wokół bioder. Byli na Ukrainie zajętej przez Niemców – faszystowska Rumunia rozwiązywała kwestię cygańską. Pracowali w kołchozach, chorowali na tyfus, jedli brukiew.

Petro: – Moi bracia i rodzice zmarli z głodu. Rodziców związałem za nogi, ciągnąłem. Pochowałem ich niezbyt głęboko.

Elisabeta: – Mojego brata i bratową rozstrzelali za dwie cebule. Mieli małe dziurki w plecach, ale wielkie dziury z przodu. Brat sześć godzin trzymał wnętrzności na rękach. Nie życzę żmijom, wężom, żeby przeżyły to, co ja.

Na Ukrainie zginęło 35 tysięcy rumuńskich Cyganów. W 1944 roku do Porumbacu powróciła garstka.

Elisabeta: – Rumuny nas nakarmili, ubrali. Dzielili się, co kto miał. Czasem nawet dali konia. Cieszyli się, że znów jesteśmy.

Po wojnie wspólnie przeżywali biedę, strach.

Trajan: – W sklepie były tylko ryby suszone. A Ceauşescu miał złotą wagę do ważenia mięsa i złote odważniki.

W tamtych czasach inaczej żyły cygańskie podwórka. Młodzi mężczyźni milczeli przy starszych, kobiety nie sprzeciwiały się mężom, głodny dostawał łyżkę mamałygi. Zwierzchność strzegła dawnych praw. W Timisoarze – tam się zaczynała rewolucja – Węgrzy, Rumuni, Cyganie wspólnie wyszli na ulicę. Ale to był już ostatni raz.

Masio: – Gadzie zazdroszczą nam pucharów.

To puchary z najcenniejszych kruszców. Przywędrowały do Rumunii z Cyganami, krążą między nimi od stuleci. Nie pozwolili ich sobie odebrać. Na weselu rodzice pana młodego wręczają puchar pannie młodej. Jako zastaw. Jeśli mąż ją porzuci, jego rodzina traci puchar.

Gadzie radzą Cyganom, żeby po sześciu wiekach wracali, skąd przyszli. Petro: – Gdzie są te Indie? Czy tam można kupić puchar od Cyganów?

Że wszystkich kobiet w Porumbacu najbardziej gościnna jest łagodnie uśmiechnięta, zezowata Maria. Zaprasza do nowego domu, otwiera szafę, pokazuje stos czerwonych wstążek, chustek, spódnic. Wyciąga szerokie kelderaskie pasy, haftowane mężowskie koszule. – Przymierz – zachęca olśnionego Limalo.

– Dasz mi taką koszulę?

Maria wyjaśnia, że są drogie, i odmawia. Ale uprzejmie pyta: – Może kawy? Dorobiła się w Polsce. Była tam z mężem Trajanem. Synka zostawili z babcią, żeby nie opuszczał szkoły. Synek ma dziewięć lat. Jest zaręczony. Narzeczona rośnie w Arpasu, bogatej wiosce kilka kilometrów stąd. Dostanie od rodziców posag – dziesięć tysięcy marek. Cyganie z Arpasu nie jeżdżą na żebry. Handlują końmi, bydłem, pożyczają Rumunom pieniądze na procent. Dobrze się wżenić w Arpasu. Dwuletnia Ewa – kuzynka Trajana – też jest po słowie. Przyszły teść szykuje kilo złota, srebrny puchar i dziesięć milionów lei.

Maria oprowadza po cygańskim Porumbacu. Ci się już pobudowali, ci robią studnię, ci stawiają piec. Tu są nowe stajnie i obory. A tu poletka kupione od gadziów. Limalo siada, usłużna Maria kładzie koc na ławce i czuwa w progu domu. Pomału schodzą się

mężczyźni. Sakramentalne „bądź szczęśliwy",
potem ustalanie rodu. Znajdują wspólnych krew-
nych i znajomych. Słyszeli o Limalo.

Danciu biegnie po piwo. Sami swoi, Kelderasz
i Kelderasze.

Cygańska poczta: omawianie, kto uciekł od żony,
kto się rozpił, kto urządził wesele, kto umarł.
Skandale. Trzy wioski dalej Cygan Buzea przyłapał
kobietę na zdradzie. Nie miał ochoty od niej
odejść, ale musiał. Jest trefna. Rodzina brzydziła-
by się u nich pić i jeść. A Jordahe – z innej wsi
– podejrzewał, że żona przyprawia mu rogi.
Chciał się jej pozbyć. Więc włożył żonie do buzi,
a ona się zgodziła, chociaż wiedziała, czym to
grozi. Jordahe to rozgłosił. Żona została sama.
Rodzina ją czasem przyjmuje, ale ma dla niej
osobny ręcznik i naczynia. Te naczynia myją
na podwórku, woda spływa wprost na ziemię. Broń
Boże, żeby chociaż kropla dostała się do wspólnej
miednicy.

Trajan: – A wy, Cygany z Polski, całujecie baby
w cipę?

Masio: – Słyszałem, że myjecie się w tej samej
wannie. Że macie piętrowe domy. Jak tak można!
U nas buduje się nisko, żeby baba nie lazła na górę,
żeby facet pod nią nie był.

Trajan: – Czy u was po weselu kładzie się za-
krwawione prześcieradła na płot? U nas już nie. Bie-

rzemy na wiarę. Jeśli dziewczyna nie miała jeszcze męża, to nie jest przebita.

Limalo mówi, że wybiera się do króla Cioaby.

Cyganie jeden przez drugiego: – Powiedz mu, żeby Buburoza przestali nas łupić. Tym, co wracają z Polski, robią fałszywe rozprawy cygańskie. Biedaki oddają pieniądze bogatym.

Masio: – Oni grożą, żeby my nie szli do Polski na żebry. Żeby Polska im została.

Trajan: – W Sigisoarze, Braszowie, Făgăraş Buburoza wyszukują dzieci pokręcone, bez nóg i wywożą. Rodzicom płacą grosze.

Limalo: – Wiem. To są bandyci. Latem ukrywają się w kolibach, zimą w hotelach robotniczych w Łańcucie, w Rzeszowie, w Tarnowie. Ale ja tego z królem nie załatwię. Dla mnie to jest pan Cioaba. Czemu z nim nie pogadają wasi zwierzchnicy, *bulibasze?*

Petro, *bulibasza* w Porumbacu, odjechał właśnie citroenem na *Romano Kris* – cygański sąd. Rada starszych decyduje o skalaniach, o rozwodach, rozstrzyga spory majątkowe, karze występki, których Cygan dopuścił się wobec Cygana. Te rozprawy są płatne, więc Petro świetnie zarabia. Bez zgody króla nie byłby *bulibaszą*, a Cyganie Buburoza też są dziećmi Iona Cioaby.

Limalo: – Ładnie tu, w Porumbacu, mieszkacie.

Masio: – My nie kradniemy, to z żebrów.

Limalo: – Co ja jestem prokurator? Nie udawaj świętego. Jak w Polsce zobaczysz łańcuszek na stole, to odwrócisz się i nie zabierzesz?

Masio: – Nie zabiorę.

Limalo: – Dziecko ze mnie robisz! Nigdzie Kelderasz nie okradnie Kelderasza, a wy sami siebie okradacie. Dałem jednemu parę marek, złoty sygnet, obrabowali go we własnej wiosce.

Masio: – Kłamiesz.

Limalo spogląda na Trajana, który jest tu gospodarzem. Trajan nie reaguje, a jego żona Maria zezuje łagodnie. Masio do Limalo: – Spierdalaj.

Bar w Porumbacu. Limalo nad szklanką wódki: – Oni nie są w duszy Cyganami, chociaż zachowali strój. Gościa nie wolno obrażać. Ten Trajan prosił mnie o adres. Bo kradnie. Gdyby wpadł, zaraz by przyszedł, żebym go wyciągnął z więzienia. Ale czemu się nie przyznał? Dlaczego Cygan Cyganowi kłamie? Może się bał, że go zakapuję. Może u nich są kapusie. Razem jedzą, piją, srają na trawkę, a potem się obgadują. A przecież kapuś jest skalany, jak ten, co całuje kobietę... no, wiadomo gdzie.

Cyganie z Porumbacu nie zwiodą Limalo. Zna ich złodziejskie rzemiosło. Kobiety kupują woreczek kartofli, dają kasjerce dwa miliony, a potem robią szacher-macher z resztą i krzyczą: – Tu jest za mało o 500 tysięcy! Pani mnie chciała oszukać!

Mężczyźni stają samochodem na fałszywych numerach przy ruchliwej trasie i otwierają maskę. Zatrzymują gadzia, tłumaczą mu, że są w potrzebie. Brakuje im gotówki na naprawę, więc proponują złoty sygnet. A to tombak.

Limalo: – My, Cygany, staramy się w Polsce żyć uczciwie. Płacimy podatki, handlujemy kurtkami, butami. Mamy znajomych hurtowników na bazarach, czasem dawali nam towar na słowo. A teraz nie chcą. Mówią: „Cygan to Cygan, okradli mnie te wasze Rumuny".

Idzie do baru. Wtedy po polsku odzywa się Danciu: – Taka sama jest polski i rumuński Cygan, i w Niemcy, i w Jugosławii, i w Ungarii. Wsystkie kradną. Jak ma robota, jest OK. Jak nie ma robota, kradnie. Cygan cygani. Tu nie ma nic robota. Ja chcę do Polski. Ja chcę mieć robota, żona, dom, jak człowiek. Ja będę pić tylko woda, a nie kradniesz. Mnie się nie podoba kradniesz.

Limalo wraca z nową wódką: – Rumuńskie Cygany uważają, że poza swoim krajem wolno być gnojem. Nie widzą, że tam żyją inne Cygany?

Wkrótce po rewolucji grudniowej Cyganki z Polski pierwszy raz zobaczyły Cyganki rumuńskie – siedziały na warszawskim Dworcu Wschodnim: z tobołkami, z dzieciakami, brudne. Zrobiło im się żal tych kobiet. Odtąd każdego dnia wpadały na

Wschodni dzielić się groszem, który dostawały za wróżenie. To trwało prawie rok. Aż polskie Cyganki spostrzegły, że ich pieniądze nie służą głodnym dzieciom. W dworcowych kantorach wymienia się je na marki. Odtąd warszawscy Cyganie poczuli niechęć do rumuńskich.

Zoica kradła w komisie dziecięce ubranka i zabawki. Wpadła. Jej mąż, Nica, upił się z rozpaczy. Była zima. Zamarzł w kolibie pod mostem Grota-Roweckiego. Cyganie rozdzielili po lepiankach jego dzieci, zawiadomili Limalo. A Limalo, choć wcześniej Niki nie widział na oczy, załatwił świetny szpital. Czuwał trzy dni, póki Nica nie odzyskał przytomności. Dla Zoiki nic nie udało się zrobić. Dostała wyrok – dziesięć miesięcy. Wszystko zdarzyło się dwa lata temu. A teraz w wiosce Recea Limalo spotyka Nikę.

Ion, ojciec Niki: – Limalo! Ja z bratem twojej matki spałem w jednym namiocie, jak chodziliśmy z taborami. Wielka radość. Schodzą się Cyganie i gadzie, z którymi tutaj żyje się w przyjaźni. Ion przedstawia rodzinę. Z kilku synów przy stole pod dziką jabłonką siedzi tylko schorowany Nica, inni wyjechali za Karpaty, robią Rumunom ozdobną blacharkę. Ale są jego wnukowie z żonami, są ich urodzone w Polsce dzieci.

Tym się powiodło! Spotkali pod Piłą bogatych Polaków. Robert i Grażynka mają kilka sklepów, motel.

Przyjęli Cyganów do pracy, a jak stwierdzili, że nie kradną, użyczyli mieszkania. Pomagali Cyganom w czym mogli: wzywali pogotowie do porodów, kupowali butelki i wózki, chrzcili dzieci. Była zima, gdy pod Piłę dotarł do bratanków Nica. Odprawili go: – To nasze gadzie. Od wypadku pod mostem Nica nie doszedł do siebie. Ledwo mówi, potrzebuje lekarstw na serce. Kiedyś musiał być postawny, silny, teraz jak dziecko garnie się do Limalo. Chce się przed nim pochwalić najstarszą córką Eleną, która właśnie zaplata warkocze. Elena siedzi na łóżku pod niską powałą z rozpuszczonymi włosami. Limalo wyciąga aparat. Wkracza Zoica: – Za zdjęcie należy się 20 marek.

Przed wizytą u króla Limalo prasuje garnitur i pół godziny stoi pod prysznicem. Ion Cioaba mieszka w Sibiu, w obszernej willi. Za otwartą furtką indyki, przy schodkach popiersie właściciela. Drzwi uchylone, bo upał. Król chrapie na sofie w brudnych krótkich gaciach pośród złoconej tandety.

Jaki tam z niego władca. Cyganie nigdy nie mieli monarchów. Czasem zdarzał się uzurpator wyniesiony przez swój ród na tron. Ion Cioaba rozdaje wizytówki z napisem: „Król wszystkich Cyganów na świecie", ale Limalo prostuje: – On se może być królem w Sibiu i okolicy. Poza Rumunią nie ma gadki.

Władca, którego tu Cyganie naprawdę kochają, to rumuński król Michał. Ion z Recei: – Piękny to był mężczyzna! Widziałem go, jeździł do wiosek. Michał sprzeczał się z ojcem Karolem, żeby i biedny mógł przeżyć. A Karol: „Biedni niech idą do pracy". Wtedy Michał przebrał się w żebracze szaty i najął do cegielni tutaj, w okolicach Recei. Przez tydzień mieszał glinę, potem wywoził gnój u gospodarza. Wrócił do ojca: „Królu, w naszej Rumunii ciężko zarobić na chleb". W cygańskich opowieściach ta cegielnia czasem się mieści w pobliżu Arpasu, Porumbacu albo Comana de Jos.

Prezydent Iliescu nie jest zadowolony z miłości do dawnego monarchy. Król Michał ustąpił po wojnie pod naciskiem komunistów. Prezydent woli, by Cyganie pokochali Iona Cioabę. Był na jego koronacji.

Monarcha z Sibiu budzi się. Po chłodnym „bądź szczęśliwy" wzywa wnuczkę. Limalo przeżywa wstrząs – wnuczka pachnie francuskimi perfumami, nosi mini, pokazuje nogi, piersi. Stawia na stole szklaneczki napełnione coca-colą. Król przebiera się do zdjęcia: koszula, garnitur, klapki. Wnuczka wyciąga z szafki berło i koronę. To już inny Ion Cioaba. Co drugie słowo powtarza: „mój lud". Władca chce pomóc ludowi: – Niech Niemcy zapłacą za kości naszych bliskich rozsiane po Ukrainie.

A jeśli dziś chcą wyrzucić ze swego kraju rumuńskich Cyganów, to niech każdej rodzinie dadzą odszkodowanie za trzy lata z góry. Czy moje dzieci to zwierzęta, żeby się żywiły trawą? Jak Niemcy im wypłacą, przestaną kraść, żebrać, każdy kupi sobie dom.

Król nie znosi żebractwa: – Cygan nie chce pracować, woli udawać ślepca albo kulawego. Czy w Rumunii nie ma pracy? Są lasy, a w nich dzikie owoce i grzyby. Wszystko gnije. Są zioła, na które czekają chorzy. Słuchaj, Limalo. Powiedz w Polsce, żeby zamknęli granice. A jak spotkasz żebraka, to go przyślij do mnie. Dam mu zajęcie i opiekę.

Limalo jest pod wrażeniem. Z tego wszystkiego nie napluł królowi do mordy. Żeby się uspokoić, siada w kawiarni po drodze do Făgăraş. – Danciu, piwo!

Siedzi nad kuflem i wspomina otwartą furtkę w rezydencji władcy: – Czemu on nie ma goryli? Bo cała policja w Sibiu, a może i w Bukareszcie, a może i pan Iliescu to są jego ochroniarze. On chce ze wszystkich biednych zrobić poddanych. Do kogo przyjdą, jak Polska zamknie granice? Do pana Cioaby. I będą mu się kłaniać, i grzyby w lesie zbierać, i ziółka dla chorych. On chce mieć naród ciemny. Ja tu dużo zmądrzałem. W Polsce i gadzie, i Cygany litują się nad żebrakami. Ale co za tym żebractwem się ciągnie? Ktoś został

królem, ktoś mafioso, ktoś bonzo. Słabszy jest
utracony tutaj. Musi żebrać dla paru bochenków
chleba, resztę oddać. A mocniejsi gonią się,
fruwają za pieniędzmi. Mogą zrzucić swoje stroje
– za pięć marek. Za dwie marki mogą ci całować
nogi. Brat skrzywdzi brata. Nawet skurwią się
Cyganki, w mareczkach policzą. Wiem, co mówię.
W Rumunii starczy na parę cegiełek. Oni
zbezcześcili imię Roma. Nie zrobili to żadne inne
Cygany.

Limalo wraca myślami do rodzinnego Comana.
Co się tam zdarzy? Wuj Goca ma miękkie serce,
zostanie nędzarzem. Calo to cwaniak, nikomu nie
pożyczy grosza. Odmówił pieniędzy dla Danciu,
chociaż to jego kuzyn, a bez forsy nie da się
przejść polskiej granicy. Więc pewnie Calo będzie
bulibaszą. Danciu zginie w tym świecie.

Trzeba odebrać dług. Dwóch Cyganów obrabo-
wało willę polskich gadziów. Wyszli za poręczeniem
i uciekli do Făgăraş. Kaucję wyłożył Limalo.

Cygański slums na przedmieściu. Limalo powoli
jedzie samochodem wzdłuż lepianek. Do szyb kleją
się dzieci, pokazują *fuck you*. Kobiety plują.
Mężczyźni obnażają pięści. Limalo podchodzi do
jednego z nich. Po chwili wraca. – Radzi mi, żeby
zapomnieć o pieniądzach, bo załatwi ojca Danciu.
To Buburoza.

Danciu: – Jestem głodny.

Limalo: – To chodźmy po bułki.

Siedzą na murku pod piekarnią. W Făgăraş. Dwa tysiące kilometrów od piekarni – Polska.

Kwiecień 1996 r.

Prześcieradło

Zdarzyło się to latem w Nowej Rudzie.
Młodzi kochali się. Rodzice chcieli ich
pobłogosławić i zaprosili gości na wesele.
Naszykowali białe prześcieradło.
Kiedy on ją przebije, na płótnie
pozostanie plamka krwi. To dla Cyganów
Kelderaszy wielka radość. Prześcieradło
pokazują gościom.
Plamka przynosi zaszczyt. Musi być
prawdziwa. Nie z rany, którą jakaś
spryciara zada sobie pierścionkiem
pod kołdrą. Nie z menstruacji. Kelderasze
mają na to sposób: leją na prześcieradło
czterdziestoprocentową wódkę. Jeśli
dziewczyna była czysta, krew nie zmienia
koloru, jeśli miała mężczyznę – ciemnieje.
A z weselem w Nowej Rudzie było tak.
Zjechało trzystu Cyganów. Szynka
w plastrach, kurczaki zrumienione
– tylko siadać. I nagle wieść – wesele
chwilowo odwołane, bo panna
młoda ma miesiączkę.
Goście koczowali ponoć u krewniaków.
Ścisk i upał był taki, że niektórzy
mdleli. Na piąty dzień zobaczyli
prześcieradło z jasną plamą.
Ale była zabawa!

W CZARNYM WĄWOZIE

Żadne dziecko nie rodzi się samotne. Nim po raz pierwszy zapłacze, gdzieś daleko – w lesie albo na polanie – pęka skorupka, z jaja wykluwa się wąż. Wąż nie umiera w samotności. Odchodzi on i jego człowiek.

Nie wolno krzywdzić węży, wolno się ich bać. W ciemności wślizgują się kobietom na posłania. Lubią wysysać mleko z piersi matek. Przychodzą w snach, to znak złowróżbny. Jeżeli po zachodzie słońca ktoś niebacznie wypowie groźne słowo „wąż", powinien dodać: „niech odejdzie z nocą". Tak strzegą się przed wężem w Kolonii Wapiennej, daleko, za górami, aż na Węgrzech. Wśród winnic trzeba najpierw znaleźć miasto Pecz i rynek, gdzie w czasach zarazy wzniesiono Trójcę Świętą z białego kamienia. Potem drogą pod górę, ku starej kopalni. Gdy minie pół godziny, z zieleni wychyli się kolejny pomnik – kilku zwalistych mężczyzn, każdy ma kałasznikowa. Plac Bohaterów. Wtedy ostry zakręt w prawo i sto siedemnaście betonowych stopni w dół, na dno wąwozu. Tutaj mieszka Marika, która nie bała się węża.

Nawet ze szczytu schodów Kolonia Wapienna wygląda źle. Niektóre dachy tak dziurawe, że widać szkielety domów. Wychodki pochylone, z wykruszonych cegieł. Uliczki tarasowe, jedna pod drugą, wgryzają się w wapienny stok. Wąskie. Ściana od ściany na odległość rozpostartych ramion. Zamiast ogródków śmiecie. Zamiast kanalizacji rynsztoki. Gówna. Kilka publicznych ujęć wody. Wiadra, pranie. Chude, bezpańskie kundle w stadach, których nie odgoni się bez kija.

Imre przyprowadzał wiele dziewczyn na Wapienną. Każda mówiła: lepiej zaprowadź mnie do lasu. I wbiegała zdyszana sto siedemnaście stopni w górę. A Marika została. Mama była na nią o to zła. Powtarzała: masz tylko piętnaście lat. Straszyła: nie wychodź za mąż za Cygana, pożałujesz. Tak konie w stajni żyją, świnie w chlewie – oceniła, kiedy tutaj przyszła. Wtedy odezwała się babcia Mariki: wcale nam nie było lepiej, kiedyśmy zaczynali z dziadkiem, a teraz mamy dom z trawnikiem. I zakończyła: bardzo u was ładnie.

Wąż rozbija skorupkę, gdy rodzi się cygańskie dziecko. Co z innymi?

Marika kończy rok. Mama zaczyna pić, tata odchodzi. Więc mama pije jeszcze więcej. Zaczyna po pracy, jak tylko zmieni sukienkę. Babcia próbuje to ukryć przed Mariką. Marice się wydaje, że koledzy mamy bywają zbyt weseli lub zbyt gburowaci, a oni są zwyczajnie pijani. Nareszcie to pojmuje i przestaje zapraszać szkolne koleżanki. Sama biega po trawniku, sama wchodzi po dębowych schodach willi do pokoiku na poddaszu, bo nie ma siostry ani brata. O tacie w domu się nie mówi. Wyjechał z Węgier, nie dzwoni, nie pisze. Nagle nadsyła wiadomość: przyjeżdżam. Wtedy Marika sporo się o nim dowiaduje. Po pierwsze, jest przystojny – przysłał zdjęcie. Po drugie, jest żołnierzem Legii Cudzoziemskiej, strzelał w byłej Jugosławii. Po trzecie, wspina się, pływa, zna karate. Marika zaczyna właśnie gimnazjum – najlepsza szkoła w mieście, klasa matematyczno-fizyczna. Ale źle się czuje z córkami adwokatów i profesorów uniwersytetu w Peczu. Pewnego ranka koleżanki witają ją podniecone: twojego ojca pokazali wczoraj w telewizji w filmie o najemnikach. Wkrótce Marika ma obchodzić urodziny, czternaste. Postanawia zaprosić i koleżanki, i tatę.

Tata zjawia się na Węgrzech kilka dni przed urodzinami. Najpierw całuje Marikę i daje jej kilkaset franków w portfelu z cielęcej skóry, a potem kłóci się z mamą. Przekleństwa, krzyk. Tata woła od drzwi: pa, córko, wpadnę na twoją imprezę. Nie wpada. Dwa dni później Marika umawia się z Imre pod pomnikiem Bohaterów.

Dom Imrego: pokój, kuchnia, piec i mnóstwo łóżek. Domownicy: babcia, młodsze rodzeństwo (czwórka), tata (wołają go Rzepa), mama, jeszcze kot i pies. Co chwila ktoś otwiera drzwi: sąsiedzi, bliżsi i dalsi krewniacy, do Rzepy, do mamy, do dzieci. Pies szczeka, merda ogonem. Śmiech, płacz, czasem dzika awantura. Wciąż trzeba sprzątać i zmywać. Marika zamiast do szkoły zaczyna chodzić na Kolonię Wapienną.

Sto siedemnaście betonowych stopni, krok po kroku. Wciąż dalej od słonecznego miasta Pecz, od jego murów, dzwonnic, wież, dachówek, pubów, cukierni, winiarni, teatrów, kin i sklepów z markowymi towarami. Krok – i opuszczamy dolinę Dunaju. Znów krok – i to już nie Węgry, nie Europa. Biali nie powinni pokazywać się tutaj po zmroku. Wąwóz Czarnych zamieszkują różne plemiona. Żyją tu Cyganie węgierscy – Romungro. Przyszli na te ziemie przed wiekami, w średniowieczu. Rozpowiadali, że muszą się tułać. To pokuta za przeniewierstwo. Ich pielgrzymka zaczęta w Małym Egipcie skończy u papieża w Rzymie i trwać będzie siedem lat. Kłamali. Ale dzięki tej legendzie udało im się zyskać zaufanie ludzi pobożnych. Królowie, książęta, biskupi ofiarowali wędrowcom cenny dar – glejty podróżne. Tułacze wyruszyli na zachód i północ. Niektórzy zostali; w czasach Habsburgów zatracili język, kazano im osiąść. Na Wapiennej żyją również Olahowie. *Olah* w języku romani to Wołoch. Tak Cyganie węgierscy nazwali większość późniejszych przybyszów. To wiele cygańskich szczepów: Kelderasze, Lowara, Ciurara, Gurwarowie z Wołoszczyzny i Siedmiogrodu. Różni ich dialekt, dawny sposób życia i zajęcia. Są między nimi dzieci niewolników, bo Cyganami na ziemiach rumuńskich handlowano do połowy ubiegłego wieku. Są potomkowie cyrkowców i poszukiwaczy złota – ludzi wolnych. Oni byli przywódcami grup zalewających sto lat temu Europę Zachodnią.

Beasze – w wąwozie mieszka ich najwięcej – przywędrowali tu z tych samych stron, w tym samym czasie co Olahowie. Najbardziej zniewoleni. W wołoskich wioskach zapomnieli, co to koczowanie. Stracili język – archaiczny rumuński mieszają z cygańskim. Najpierw strugali Węgrom łyżki z lipowego drewna i najmowali się do żniw, potem pod Peczem wydobywali węgiel albo uran.

Kto z jakich jest Cyganów, bardzo się liczy w Kolonii Wapiennej. Za każdą nazwą stoją dzieje rodów, talenty, obyczaje i szlaki wędrowne. I choć żaden Cygan tego nie spisywał, wie o Olahach, że biorą dużo pieniędzy za córki i że u nich babcie pod kołdrą zdejmują tylko fartuch, śpią w spódnicach. Albo o Kelderaszach: źle traktują kobiety, ale dobrze tańczą. Kto jest czuły dla kobiet? Muzy-

kanci z węgierskich Cyganów Romungro. Oni najbardziej zadzierają nosa. Czy Cygance wolno wyjść
za gadzia? W ostateczności. A za Cygana z innego
plemienia? Nie. To wiedza, którą zgłębiają profesorowie uniwersytetów. Schodzą ze studentami
do wąwozu, odkąd padł socjalizm i kopalnia. Chcą
wiedzieć, czemu tylu Cyganów jest w sierocińcach
i więzieniach.
   Najpierw stwierdzają: Cyganów pominięto przy
reformie rolnej. Ponieważ nie dostali ziemi, nie przy-
jęły ich nowe kolektywne gospodarstwa. Najmitów
też już nikt nie potrzebował. Więc gdy Węgrzy rozwi-
jali PGR-y, oni natarli na miasta. Wrócili na opusto-
szałą wieś, kiedy powstawał wielki przemysł. I znów
do miast, bo znów postawiono na rolnictwo. Tam pozostali. Jeszcze dziesięć lat temu każdy Cygan, nawet
cygańskie kobiety, miał pracę – robotnik niewykwali-
fikowany w największych, najmniej opłacalnych
fabrykach. Te zakłady pierwsze padły. Majątek po-
dzielono, ale Cyganów pominięto. Na wsi kolektywne pola wróciły w ręce dawnych właścicieli. Cyganie
nie dostali nic, bo byli pominięci przy podziale ziemi.
   Profesorowie: pomału wszystko się ułoży. Zwy-
cięży demokracja, wolny rynek, a kiedy ludzie się
wzbogacą, to dadzą zarobić Cyganom. Podglądają
przez lupę, jak Cyganie się szamoczą. Jak sprzedają
mieszkania, żeby założyć mały interes. Jak samorządy skupują te domy za grosze. Jak Cyganie chcą

być rolnikami. Jak im się to nie udaje bez doświadczenia i pieniędzy. Jak wracają. Bezdomni, bezrobotni, bez zasiłku. Nagle obraz pod lupą zatraca odcienie, bo czarni zawsze wracają do czarnych. Wtedy profesorowie alarmują: Węgrzy się wzbogacili, ale Cyganie są na samym dnie. Tak głęboko, że szybko z niego nie wyskoczą. Kiedyś strugali nam łyżki, sprzątali w naszych fabrykach, dziś ich nie potrzebujemy. Ostrzegamy: zbędni są skłonni do gniewu. Dlatego biali powinni odejść z wąwozu przed nocą.

Marzec. Marika próbuje zapamiętać twarze Cyganów z Wapiennej. To niełatwe, bo ciągle ktoś się wyprowadza i wprowadza. Ledwo znikają jedni, już drudzy piłują kłódki. Czasem o opuszczone mieszkanie walczy kilku mężczyzn z różnych rodzin. Biją się na siekiery, na pięści, na noże. Kobiety w krzyk: – Biegnijcie po Rzepę. Rzepa to lek na zło w wąwozie. Tu się wychował. Stąd dziewięć razy poszedł do więzienia za kradzieże. Wszystkich zna. Ma posłuch u Cyganów w mieście. Bywa, że do osiedla wprowadza się nowy i chce rządzić. Prędko dowiaduje się o Rzepie. Bo Rzepa pilnuje tu cygańskich zasad: wolno kraść, nie wolno gwałcić i zabijać, skrzywdzenie dziecka to zbrodnia.

Rodzina Rzepy utrzymuje się ze zbiórki złomu. Kiedy brakuje grosza, babcia zagniata mąkę. Dzieci lubią chleb Cyganów – punię. Któregoś dnia Imre namawia Marikę: – Chodź ze mną, pokażę ci nasz przysmak. Szukają na północnym stoku góry. Między zbutwiałymi liśćmi coś się zieleni. Imre: – Spróbuj. Marika: – Przecież to konwalia. Jednak posłusznie wkłada roślinkę do buzi. Konwalia pachnie czosnkiem. Imre wyjaśnia: – Nazywa się cygańska cebula. Zrywają pełną siatkę. W domu matka Imre tłumaczy Marice: – Latem są pomidory i papryka, a na jesieni fasola i grzyby, łatwo się żyje. Wiosną najgorzej. Cygańską cebulę możesz udusić albo zrobisz z niej surówkę z jajkiem i słoniną. Nauczę cię, będziesz miała co włożyć do garnka. Pamiętaj, Marczi, jak u Cyganów chłop i dzieci głodne, to kobieta winna.

Kilka dni później w domu na Wapiennej płacz. Umarła babcia. Wokół trumny zbiera się cała rodzina. Dorośli nie śpią, zapalają świece (Rzepa pilnuje, by zawsze płonęła nieparzysta liczba, taki zwyczaj), pomału piją wódkę, piwo, wino. Lamentują: – Boże, coś nam uczynił? Matko Święta, pomóż! Mija noc. Mężczyźni się nie golą, kobiety nie myją. Imre biegnie do sklepu, bo brakuje alkoholu. Marice kleją się oczy, ale wciąż nie wolno spać. Teresa, cioteczna siostra Imre, półgłosem tłumaczy: – Babcia odeszła w nieznane. Wierzymy, że jej dusza wciąż jest blisko nas. Trzeba czuwać, bo może zechce tutaj wrócić.

Marika musi pokazać się mamie. Kiedy wraca wieczorem, czuwanie trwa, a żałobnicy... Marikę ogarnia strach. Oni są zamroczeni, ale to nie wódka. Siedzą między świecami jak duchy, snują dziwne opowieści. O wężach, które wślizgują się kobietom na posłania, lubią wysysać mleko z piersi matek, a gdy przychodzą w snach, to znak złowróżbny. O sowach zwanych ptakami umarłych. O zwiastujących szczęście nietoperzach. O stworzeniu świata. Najwięcej opowiada Janosz, brat babci. Reszta słucha, kiwa głowami: – Tak, tak! On ma rację, dobrze mówi.

Za dawnych, pradawnych czasów była tylko wielka woda. Pomyślał więc Bóg Baro, że warto by jakiś świat stworzyć, ale nie chciało mu się ruszyć palcem. Siedział sobie na powietrzu osowiały i znudzony, bo nie miał brata ani nawet przyjaciela. Dojadła Bogu Baro samotność, aż zagniewany cisnął w wodę swój kostur, którym się podpierał w wędrówkach po chmurach. Tam, gdzie kostur się pogrążył, wyrosło drzewo zielone, rozłożyste. Tylko jedna z jego gałęzi była sucha. Siedział na niej sam Diabeł, pierwszy z diablego rodu, jasnowłosy i kosmaty. Diabeł rzekł: – Nie masz brata ani nawet przyjaciela: ja ci będę przyjacielem i bratem. Ucieszył się Bóg Baro i powiada: – Bądź moim przyjacielem. Któż to słyszał, żeby Bóg miał brata.

Zaprzyjaźnili się więc i trwało to osiem dni. Dziewiątego dnia tak odezwał się Diabeł: – Braciszku kochany, źle nam się żyje we dwóch tylko.

– Stworzę świat, tylko nie nudź więcej – odrzekł Bóg Baro. – Skocz w wielką wodę i przynieś mi z dna piasku.

– Jakże to można z piasku zrobić Ziemię?

– Całkiem zwyczajnie. Wypowiadam swoje boskie imię – i już.

Ale Diabeł pomyślał, że będzie lepiej, jeśli sam stworzy świat. Wydobył więc na powierzchnię sporą kupę piachu i wyrzekł nad nią swe diabelskie imię: Beng. Piasek buchnął dymem w twarz Diabła, sparzył go i osmalił. A świata nie było. Skakał Diabeł w wielką wodę jak najdalej od Boga Baro, a piasek go przypiekał.

Dziewiątego dnia Bóg rzekł: – Jesteś zupełnie czarny. I dusza w tobie też czarna. Idź i przynieś piasku, ale nie wymawiaj swego imienia, bo spłoniesz. Poszedł więc Diabeł raz jeszcze po piasek, a gdy Bóg Baro uczynił Ziemię, uradowany zawołał: – Tu, pod tym drzewem, jest moje mieszkanie. Ty, braciszku, poszukaj sobie miejsca gdzie indziej! Rozgniewał się Bóg strasznie: – Taki z ciebie przyjaciel? Idź precz! Niech twoje dzieci i wnuki będą czarne jak ty teraz.

Natychmiast zjawił się czarny byk, wziął Diabła na grzbiet i wraz z nim zapadł się pod ziemię u stóp drzewa. Ale było to boskie drzewo. Z jego gałęzi wyległo się mnóstwo ludzi i zwierząt, i po kolei zeskakiwali na nową Ziemię, mokrą jeszcze i bez trawy i ziół. Sam Bóg Baro wyprowadził się na stałe do Nieba, bo w głębi Ziemi zadomowił się Diabeł, a Bóg nie chciał go mieć za sąsiada.

Czuwanie na Wapiennej kończy się trzeciego dnia. Cyganie mają pewność, że babcia nie zmieniła zdania. Ale na wszelki wypadek opróżniają wiadra. Dusza czuje pragnienie, dla kropli wody w ostatniej chwili potrafi zawrócić. Owszem, należy ją przed drogą nakarmić, napoić, lecz dopiero na stypie. Wtedy za stołem posadzą żonę Janosza – jest w wieku zmarłej, i nawet podobna. Dostanie kurze udka, gulasz, wódkę. Cyganie pomyślą o babci i zawołają: – Niech to będzie dla niej!

Pogrzeb. Msza katolicka, na cmentarzu ksiądz.

Czerwiec. Imre nie może zapomnieć o babci. – Nachodzi mnie po nocach – skarży się Marice. – Chce porozmawiać. Imre nigdy nie lekceważy wezwania. Rano biegnie na zieleniak, kupuje od Cyganek kwiaty. Siada przy grobie. – Ja mówię, babcia słucha. Czuję, że zaraz weźmie mnie za rękę i wtedy umrę. Marczi, to mnie męczy. Marika: – Wierzysz w zabobony.

Latem na tarasowych uliczkach Wapiennej, koło wychodków i hydrantów, panuje wieczny, leniwy

ruch. Zwolnione tempo. Nawet gdy przyjeżdża sklep
(Węgier sprzedaje drogo, lecz na kreskę; listonosz
ściąga dług z zasiłków), nikt nie przepycha się w ko-
lejce. Mężczyźni godzinami rozprawiają przy ryn-
sztoku. – Chyba już nie czują smrodu – domyśla się
Marika. Zapamiętuje grymasy zastygłe na twarzach.
Czasem – jak u Sprężyny – jest to bezradność
i strach. Sprężyna mieszka w grocie – pomalował ją
na niebiesko i zielono, wstawił tapczan, czasem
nawet zmienia pościel. Rzepa mu radzi: – Włam się
do opuszczonej chałupy, ja ci pomogę. Ale Sprężyna
odmawia. Ci, co spiłowali kłódki, płacą samorządowi
pięciokrotnie wyższy czynsz. Sprężyna świetnie
tańczy, stąd takie przezwisko. A jego grota była
dawniej chlewikiem Ildiko. Choć to Beaszka, ma
wywinięte wargi i skórę jak heban. Rozwódka. Żyje
z białym facetem, który pochodzi z Chorwacji.
Zorganizował trochę cegieł i remontuje dom, jak
wszystkie tutaj, przeznaczony do rozbiórki. W miejscu po uprzątniętym śmietniku zrobił śród-
ziemnomorski ogródek. Odgraża się: – Kiedy przyjdą nas wyrzucać ci z samorządu, to poczęstuję ich
siekierą. Zimą po całych dniach Sprężyna grzał się
przy piecu Ildiko, która mu czasem robi pranie, na
noc wracał do chlewa. Teraz zachodzi do niej, kiedy
przyciśnie go głód. Beaszka żegna go uśmiechem
bez radości; na czarnej twarzy tylko zwątpienie
i smutek.

Sąsiad Andrasz sprzedał córkę do burdelu. Przechwala się: – Wytargowałem półtora miliona forintów – starczy na suzuki. Dziewczyna miała już piętnaście lat, była krzepka, robotna, więc jakiś posag się ojcu należał. Córkę Andrasza kupił znajomy z placu Bohaterów. Kelderasz zaczynał skromnie, od cinkciarstwa, a teraz eksportuje Cyganki do Niemiec i Włoch albo sprzedaje Węgrom na służące. Dorobił się. Chytry Andrasz ma jeszcze dwie młodsze córki, więc wita Kelderasza uniżenie.

Jeszcze jedna sąsiadka – Agnes. Rodzi jedno za drugim, nawet przy niemowlaku ma brudno i nie boi się chorób. Mówi tak: – W pokrzywę piorun nie strzeli, my jesteśmy jak to zielsko. Gości prosi: – Siadajcie, nie gapcie się z góry na dziecko, bo mu zabierzecie sen. Oboje z mężem piją. Mąż, wiecznie zły, bije ją, bo tylko to przynosi mu ulgę. Agnes chodzi posiniaczona, obolała, niekiedy w gipsie. Żyją jak większość. Wino i papierosy, ból, seks, złość, kradzież, więzienie, rabunek. Na wolności wyprawy po surowce wtórne.

Rzepa nie jest pijakiem. Dba o rodzinę. Co drugie cygańskie dziecko nie kończy podstawówki, ale on posyła swoje nawet do szkoły zawodowej. W sobotni wieczór, przy ładnej pogodzie, zapala dla nich ognisko. Zwykle przysiada się brat Rzepy, Czekoladka, ze swoimi. W ciasnym kręgu płomieni gada się, śpiewa cygańską pieśń *Kaj Phirel o Del*

(Gdzie chodzi Bóg), lipowe łyżki wystukują rytm. Ale Marika czuje niebezpieczną ciemność za plecami. Skowyty psów i ludzkie wycie. Rzepa twierdzi: – Cygańska uczciwość bierze się z uczciwości rodzin. Marika nigdy nie idzie sama zrobić siusiu. Czasami na ognisko przychodzi Teresa. Cioteczna siostra Imrego – młoda, ładna – skończyła psychologię. Pracuje w uniwersyteckim centrum pomocy dla Cyganów i w Gimnazjum Gandhiego słynnym na całe Węgry. Ta jedyna w Europie cygańska szkoła średnia – od 1994 roku fabryka romskiej elity – kładzie nacisk na przedmioty humanistyczne: religioznawstwo, mitologię, kulturę i język Cyganów. Wybitnie uzdolniona romska młodzież uczy się od Teresy dialektu Beaszów. Teresa nie używa podręcznika, bo taki jeszcze nie istnieje. – Ale ja go napiszę – zapowiedziała Marice. Na razie dwa śpiewniki to cała literatura beaska. Z tego nie da się ułożyć czytanek. Do swego podręcznika Teresa zbiera opowieści o dawnym życiu cygańskich kolonii.

Osiedle na Wapiennej przed wiekiem zbudowała kopalnia. Domy na szczycie – wygodniejsze, większe – należały do sztygarów. Te na kamiennych półkach, niżej, do górników. Tuż przed wojną na skwerze, gdzie dziś stoi pomnik Bohaterów, robotnicy urządzali pierwszomajowe festyny. Obok zaczynał się las, Cyganie na polanach klecili domki i szałasy. Po wojnie zatrudniono ich w kopalni i wtedy wzięli w posiadanie placyk. Teraz to plac 1 Maja – miejsce, w którym wychowała się Teresa. Cioteczna siostra Imrego pamięta, jak lepianki liczono i numerowano: – Dotąd nasze kolonie nie miały adresu. Wyobrażacie sobie, co się działo, gdy do Cyganów pierwszy raz przyszedł listonosz?

Marika: – Czy tam się żyło jak dziś na Wapiennej?

Teresę łatwo pociągnąć za język. – Mamie brakowało czasem na jedzenie. Ale wystarczyło stanąć w progu, zawołać: poratujcie, Cyganki! Zaraz każda coś przyniosła i był obiad. Ludzie pomagali sobie pilnować dzieci, wspólnie doglądali starszych. Tata wstawał o czwartej i szedł do kopalni. Wracał zmęczony, a tu w jednym pokoju czwórka rozwrzeszczanych dzieciaków. Mama zabierała nas na dwór, żeby mógł odpocząć. Młodszych brała na ręce, mnie i starszemu bratu kazała trzymać się spódnicy. Pamiętam: chodzimy sobie od domu do domu i zaglądamy w okna. Zostajemy tam, gdzie najweselej.

Marika: – W twojej kolonii też był smród i błoto?

Teresa: – Najgorsze, kiedy padał deszcz. Dzieci wiecznie upaćkane, bo Cygankom nie chciało się prać: do studni dwa i pół kilometra. Ale moja mama była inna. Żeby zrobić pranie, sześć razy chodziła z wiadrami po wodę. Wszyscy w kolonii spali na barłogach, na siennikach, a u nas – dwa sklepowe łóżka:

dla dzieci i dla rodziców. Paliło się chrustem zebranym w lesie. Koza straszliwie dymiła. Domyślam się, jak cuchnęłam w szkole.

Marika: – A były ogniska?

Teresa: – Od wiosny do jesieni, największe w sobotę, zbierało się wtedy po trzydzieści osób. Cyganie przynosili instrumenty, tańczyli, pili z kobietami i zaczynali wielkie bajkowanie. Pozwalali nam słuchać, ale nie opowiadało się dla dzieci. Bajki były zawiłe i długie, historie mojego dziadka trwały po sześć, osiem godzin. Do świtu. Mówił o złych i dobrych wróżkach – Urmach, o duszach drzew, o Królu Słońca, Mgły i Chmur, o przygodach dzielnych, choć biednych Cyganów. Dzieciaki zasypiały na kolanach matek, nigdy nie doczekałam zakończenia.

Marika: – Czemu was stamtąd wyrzucili?

Teresa: – Bo władza uznała, że cygańskie osiedla przynoszą Węgrom wstyd. Zbudowała baraki na przedmieściu, bez ubikacji i wody, dla Cyganów, którzy mieszkają w pobliżu ruchliwych dróg. Z naszym placem rozprawiły się buldożery.

Marika: – Żałujesz?

Teresa: – Mnie się tam żyło fantastycznie, dorosłym – strasznie, tak mówili. Po przeprowadzce nie umieli odnaleźć się wśród obcych. Węgrzy, którzy mieszkają obok Cyganów, dziwią się, czemu nasi mężczyźni po całych dniach siedzą w knajpie, czasem z kobietami. A Cyganie tęsknią do gromady.

Knajpa to miejsce, gdzie po dawnemu mogą wymienić nowiny, pożalić się na zły los.

– Zły los sprawił, że urodziłam się Cyganką – mruczy Anczi. Siostra Imrego kończy właśnie podstawówkę. Wzorowa uczennica. Teresa chce, żeby zdawała do Gimnazjum Gandhiego. Anczi pyta:

– Po co? Biali nami gardzą, tak było i będzie.

Teresa: – Żebyś nie gardziła sobą.

Dzięki Teresie Marika nie przestaje czytać. Kuzynka Imrego przynosi jej *Pożegnanie z Afryką* Karen Blixen i *Krajobraz widziany przez dym* węgierskiego Cygana Menyherta Lakatosa.

Sierpień. Matka Imrego wyjawia Marice: – Odkąd Imi skończył czternaście lat, gził się na prawo i lewo. Rzepa musiał wyrzucić go z domu, żeby nas czymś nie pozarażał. Syf, gruźlica, świerzb, mendy, wszy – sama rozumiesz. Imi dwa lata spał w grocie, a teraz wrócił do domu. Marczi, cieszę się, że jesteś z nami. Matka Imrego ma okrągły, duży brzuch. Jest w ciąży.

Październik. Łatwe życie mija razem z latem. Cyganie z Wapiennej znów na potęgę kradną drewno, wybierają żelastwo ze śmietników. Wychodzą z wąwozu grupkami, ciągną za sobą pordzewiałe wózki. Chytry Andrasz ma półciężarówkę. Rzepa i Czekoladka za odprawy z kopalni wspólnie kupili używaną furgonetkę. Jeżdżą po willowej części Peczu, pukają do domów. Pytają, czy nie trzeba czegoś przewieźć i oczywiście o surowce wtórne. Penetrują rejony złomonośne: kolej, zajezdnie tramwajowe, place budów. Nigdy nie jadą z zamiarem złodziejstwa, ale też nie walczą ze sobą, gdy wpadnie im w oko zwój miedzianego kabla lub historyczna żeliwna latarnia ułożona przed renowacją na bruku.

Tego ranka Rzepa i Czekoladka nie idą daleko. Wspinają się po ścianie wąwozu z tej strony, gdzie kiedyś była kopalnia. Szyby wysadzono w powietrze. Powstał fundusz – wiele miliardów forintów – na rekultywację terenu. Obszar prędko wykupiły drobne firmy, których właścicielami są dawni dyrektorzy kopalni. Niektórzy starannie chronią swoje działki przed ludzkim okiem. Na pozostałych niewiele się dzieje, Cyganie dawno wyzbierali złom. Rzepa z Czekoladką chcą jednak sprawdzić, czy coś nie zostało. Kusi ich nie pilnowany bunkier w lesie. Wzięli łom. Kilka ruchów i zamki puszczają. Warto było – wewnątrz stoją ołowiane skrzynie. Dobierają się do nich. Niestety, w skrzyniach nie ma nic wartościowego, jakieś ampułki. Jedna tłucze się przy wyrzucaniu.

Listopad. Marika dowiaduje się od matki, że było włamanie do magazynu spółki Geopard, gdzie przechowywano izotopy. Spółka nie wie, kiedy to się stało, ani nie zna dokładnej liczby ampułek. Policja znalazła okruchy jednej, magazynier uważa, że brakuje jeszcze jednej. W gazetach piszą: gdy jej zawartość dostanie się do wodociągów, umrze miasto. Marika opowiada o tym Anczi, którą znajduje w Gimnazjum Gandhiego. Rzepa i Czekoladka znikają.

Kilka dni później, wieczór. Na Wapienną wpadają zamaskowani komandosi: – Gdzie Rzepa? Gdzie Czekoladka? Gadać! Jakiś zwariowany Rambo bije ciężarną matkę Imrego, strzela gazem w psy i świnie. Policjanci biegają na oślep wzdłuż tarasowych uliczek, potem szukają metodycznie. Kopniakami otwierają drzwi. Agnesz: – Mnie też kopnęli, aż na okno poleciałam. Podnoszę się, patrzę, gęby pozasłaniane. Jezu Chryste, myślę, to bandyci. Miałam pięćset forintów, mówię: bierzcie. Pytają: gdzie twój chłop? A mój właśnie wraca z wychodka. Kazali mu iść za dom i tam stać. Teraz wiem, po co: żeby nie widział, co robią na podwórku jego brata. Ten zwariowany Rambo kazał bratu położyć się przed domem na brzuchu. Wszystkich tak układał do bicia.

Nazajutrz matka Imrego składa skargę do prokuratury. Wtedy zaczyna ją nękać policja. Przychodzą w dzień, w nocy, o świcie. Po tygodniu Rzepa i Czekoladka zgłaszają się sami.

Rozmowa w areszcie. Policjant: – Za izotopy posiedzisz parę ładnych lat, chyba że...

Rzepa: – Tak?

Policjant: – Że twoja kobieta wycofa skargę. Wtedy natychmiast wyjdziecie.

Rzepa: – Jak mam to żonie powiedzieć?

Policjant: – Przez telefon, bo ona teraz jest w prokuraturze. Uprzejmie wykręca numer.

Rzepa i Czekoladka są wolni. Będą odpowiadać z wolnej stopy. W Gimnazjum Gandhiego Teresa dowiaduje się od Anczi o układzie między policją, prokuraturą i Rzepą. Najpierw idzie na Wapienną, potem spotyka się z zaprzyjaźnioną dziennikarką z lokalnej telewizji, wreszcie telefonuje do Budapesztu. Zwalisty brodacz, który w stolicy sięga po słuchawkę, ma za plecami zdjęcie Martina Luthera Kinga. Murzyński pastor przemawia do tłumu: „Śnił mi się sen...".

– Słucham, Aladar Horvath.

Ósmą Dzielnicę Budapesztu stworzyli wiedeńscy artyści: greckie kolumny, kamienne atlasy, liście akantu, fantazyjnie kute balustrady; kasztany, lilie, kalie rozkwitające na balkonach. Na początku wieku mieszkali tu rzemieślnicy i drobni kupcy. Po wojnie powstały komunałki, z których najpierw pouciekali wykwalifikowani robotnicy, by stawiać własne domy na przedmieściach. Po nich do zielonych dzielnic

Budy wyniosła się inteligencja, opuszczone miejsca zaś zajęły ubogie rodziny. Ósma Dzielnica dziś: kino alternatywne i karczma bluesowa, w której bez trudu można kupić haszysz; trzy knajpy, ale nieczynne; dwie redakcje cygańskie: „Amaro Drom" i „Ciganyfuro"; cygańskie organizacje: Parlament Romów, Phralipe; cygańska mafia: samochody, heroina, broń, metale kolorowe; cygański dom kultury; cygańskie dziwki i cygańscy sutenerzy.

Z ośmiu milionów obywateli Węgier pół miliona to Cyganie. Z pół miliona Cyganów, tylko 20 tysięcy mieszka w Budapeszcie. Nagle się okazuje, że większość w Ósmej Dzielnicy. Na oczach miasta w krótkim czasie wyrosło getto. Aladar Horvath (Cygan, do którego z Peczu dzwoniła Teresa) też tu mieszka. Rozważa: – Jak do tego doszło? Nawet gdyby do Budapesztu sprowadzili się wszyscy węgierscy Cyganie, i tak byłoby nas o połowę mniej niż samych tylko Murzynów w Chicago. Jednak getto istnieje, wręcz dynamicznie się rozwija. Horvath myśli: – Czy Cyganie są biedni i dlatego są dyskryminowani? Czy raczej są dyskryminowani, więc biedni? Wreszcie uznaje, że jedno i drugie.

Myśli o Czekoladce, o Rzepie i o zamaskowanych policjantach. Kupuje bilet do Peczu. W pociągu wraca do niego cygańska przypowieść, jak Sprawiedliwość i Oszustwo wyruszyły na wędrówkę. Każdemu rodzice dali na drogę podpłomyk. Oszustwo rzekło: „Nie warto napoczynać obu podpłomyków, najpierw zjedzmy twój". Dopóki jedli podpłomyk Sprawiedliwości, było dobrze. Ale gdy go zabrakło, Oszustwo otworzyło swoją torbę i odwróciło się plecami. Sprawiedliwość długo cierpiała w milczeniu. Wreszcie straciła siły i poprosiła błagalnie: „Daj choć kęs, bo umrę z głodu". „Dam, jeśli pozwolisz wyłupić sobie oko". Sprawiedliwość przystała na to, ale droga okazała się daleka. Oszustwo wyłupiło jej i drugie oko. Czego można spodziewać się dziś po Sprawiedliwości? Ślepy żebrak zawsze przystanie do tych, którzy nakarmią go do syta.

Aladar Horvath: „skrajny nacjonalista", „polityczny szkodnik", „niedzielny obrońca praw człowieka". Urodzony w Miszkolcu, rocznik 1964. Przodkowie: Cyganie węgierscy i słowaccy. Profesje rodzinne: kowalstwo, muzykowanie, wypalanie cegieł, wyrób balii. Dziadek ze strony ojca: grajek. (Gdy Hitler wkroczył do Słowacji w 1938, zamarzł na śmierć. Nie chciał przygrywać Niemcom, wrzucili go do piwnicy z lodem). Dziadek ze strony matki: kowal. (Zginął w zakolu Donu w 1942 razem ze 150 tysiącami węgierskich żołnierzy).

Ojciec utalentowany, jako uczeń wzywany do tablicy podczas wizytacji. Do szkoły chodził boso, skończył cztery klasy, potem pracownik sezonowy. Sześcioro młodszego rodzeństwa. Matka też jedna z siedmiorga. Poznają się w Miszkolcu. Miszkolc – zdobycz socjalizmu, miasto wielkich pieców. Tu w 1960 roku Horvathom rodzi się córka. Umiera. Lekarze radzą, by prędko spłodzili dziecko, bo mogą być kłopoty. Na świat przychodzi Aladar: – Byłem ich zbawicielem. Chyba stąd pochodzi mój prymitywny mesjanizm.

Horvathowie urządzają sobie pokój w drewutni babci. Tu rodzą się kolejne dzieci, razem będzie ich sześcioro: – Kiedyś w nocy wziąłem siostrzyczkę na ręce, bo płakała. Po ciemku chciałem odłożyć ją do łóżka, a położyłem na gorący piec. Na szczęście trzymałem ręce pod jej pupą. U nas naprawdę było ciasno. W kolonii mieszkali przeważnie Cyganie, robotnicy w pierwszej generacji. Urządzali święta, pili, grali w karty. Mieli mnóstwo dzieci, konie – dorabiali przewożeniem. Lubili życie, umieli bronić się przed socjalizmem, zwłaszcza ci starsi. Młodsi nie wszyscy. Mój ojciec skończył w pracy wszystkie kursy, wstąpił do organizacji młodzieżowej i do partii. Uznał, że trzeba być w tym społeczeństwie, mimo dyskryminacji, nawet na społecznym dnie. Zaczął pić, do dziś pije.

Aladar kończy gimnazjum, zdaje na wydział prawa – bez skutku. Zatrudnia się w kombinacie metalurgicznym. Przez dwa lata pracuje na cztery zmiany: – W fabryce zrozumiałem, co to jest być Romem. Postanowiłem sobie, że będę inteligentem cygańskim.

Dostaje się na pedagogikę w Budapeszcie. W stolicy poznaje wykształconych cygańskich działaczy. Jest wśród nich Menyhert Lakatos (pisarz, współpracujący z ustrojem, pragmatyk, obecnie w Partii Drobnych Posiadaczy, której młodzieżówką są skinheadzi). Jest Attila Ballogh (poeta piszący po węgiersku, dziś naczelny redaktor alternatywnego pisma „Ciganyfuro", co znaczy Wiertło Cygańskie). Jest Tamas Peli – malarz (zmarł niedawno), Agnes Daroci – dziennikarka (redaguje cygański program w telewizji), jej brat Jozsef (wtedy przekładał na cygański *Manifest komunistyczny*, teraz Biblię). Jest wreszcie Jenoe Zsigo – wówczas mistrz Aladara, polityk i artysta, twórca zespołu Ando Drom, charyzmatyczny przywódca cygańskiej młodzieży. Są ludzie z demokratycznej opozycji węgierskiej.

W końcu drugiego semestru Aladara wzywa dziekan. – Ten facet prowokował mnie systematycznie. W tamtej rozmowie zażądał, żebym zapomniał, kim jestem. Chciał, żebym zajął się kulturą na wydziale. Aladar daje dziekanowi po gębie, a dziekan donosi do SB. Horvath dowiaduje się o tym od znajomego ubeka, pracownika domu kultury, w którym prowadzi klub cygański. W akademiku opowiada węgierskim kolegom, co się dzieje. Kłótnia i kolejna bójka. Władze wydziału zaczynają obawiać się wojny domowej: – Powiedzieli, że wynajmą mi mieszkanie w mieście i dadzą najwyższe stypendium, bylebym tylko zamknął mordę. Ale zrobiłem inaczej. Porwałem swoją młodziutką dziewczynę, zwyczajną Cygankę – teraz to moja żona – i razem uciekliśmy na wieś. Nie mieliśmy ślubu, nikt nie chciał odnająć nam pokoju. Więc znaleźliśmy norę w kolonii cygańskiej. Ja pracowałem w szkole. To był najlepszy rok naszego życia.

Aladarowi podaje rękę dyrektor podstawówki, którą skończył przed laty w Miszkolcu. Proponuje mu klasę cygańską i mieszkanie. Więc znowu Miszkolc. Aladar jest nauczycielem, studiuje zaocznie, zakłada zespół Roma Folk, ma syna.

1987: dyplom, wojsko. – To nazywało się Jednostka Robotnicza, ale w rzeczywistości było jednostką cygańską. Specjalnie tam poszedłem, bo wymyśliłem sobie, że w koszarach będę uczył Cyganów. Oczywiście nie dopuszczono do tego. Po przysiędze zwyczajnie harowaliśmy w fabryce. Zero wolnego czasu i przepustek, ordynarne rasistowskie wyzywanie. W obronie kolegi wystąpiłem do sądu wojskowego. Nim się spostrzegłem, zostałem prawie rewolucjonistą. Chłopaki zaczęli się buntować. Wezwał mnie oficer polityczny: – Przez ciebie żołnierze nie uciekają indywidualnie, ale zbiorowo.

1988: kolejny syn. Aladar opuszcza jednostkę. Wraca do innego świata, bo tymczasem na Węgrzech wprowadzono system wielopartyjny. W atmosferze solidarności i euforii tworzy wraz z innymi Związek

Wolnych Demokratów oraz FIDESZ. Przez pół roku zakłada 40 stowarzyszeń romskich w północno- -wschodniej części kraju.

Jesienią zaczyna się głośna na Węgrzech sprawa Miszkolca: samorząd chce wyrzucić Cyganów i innych „asocjalnych" poza miasto. – Byłem wściekły. Poszedłem na spotkanie Towarzystwa Raula Wallenberga – jest tam opozycyjnie nastawiona kadra naukowa i studenci. Opowiedziałem im, jak żyją Cyganie, dlaczego. Nie chcieli wierzyć. Powołali specjalną komisję. Weszli do niej profesorowie Janos Ladanyi i Gabor Havas. Orzekli, że jest gorzej, niż mówiłem. Wtedy powstaje Komitet Sprzeciwu wobec getta, któremu przewodzi Aladar. Cyganów nie wysiedlają.

Dziewięć lat później, miasto Székesfehérvár. W centrum renomowanej dzielnicy stoi kilka zrujnowanych domów. Pozostałość z czasów, gdy brakowało na remonty. Więc umieszczono tu Cyganów, jak wszędzie na Węgrzech. Wiele miejscowości pozbywa się Cyganów ze śródmieścia. Samorządy budują szeregowce na ruinach dawnych cygańskich kolonii pod miastem: mieszkania w stanie surowym, czasem bez pomieszczenia na łazienkę i ogrzewania. Rodziny powinny same wykończyć te nory, ale nie mają za co. Bezrobocie. Nawet za prąd często nie płacą i wtedy elektrownia zajmuje mieszkanie. Władze tymczasem remontują pocygańskie kamienice w centrum, a potem je sprzedają. W ten sposób przy eleganckich deptakach powstaje wiele nowych sklepów i kawiarni. Székesfehérvár szczyci się kapitalistyczną drapieżnością i bogactwem. Postanawia usunąć 43 rodziny cygańskie, a domy po nich wyburzyć. Na pustkowiu, w pobliżu schroniska dla psów, przygotowuje obóz dla Cyganów. W gazetach ukażą się zdjęcia: blaszane kontenery stoją jeden za drugim, w szeregu, nad każdym wznosi się okrągły, cienki komin. Żadnych drzew. Żadnego tła.

Powołana przez Horvatha Fundacja Obrony Praw Obywatelskich Romów odwołuje się do konstytucji i do praw obywatelskich, mówi o względach politycznych, społecznych, ekonomicznych i zdrowotnych, wreszcie o przepisach budowlanych. W ciągu dwóch lat dyskusji samorząd wyprowadza z centrum 30 cygańskich rodzin. Przed ostatnią Gwiazdką wojna toczy się o pozostałe. Jest ich 13. Samorząd wie, że jeśli zdoła zamknąć tych Cyganów w kontenerach, wkrótce bez trudu skieruje do getta następnych. Żeby to się udało, muszą budzić wrogość. Więc władze miejskie informują w mediach: – Jedni zalegają z czynszem, inni wprowadzili się na dziko. To skutkuje.

Wtedy Komitet Sprzeciwu wobec Getta zawiązuje się ponownie, znów przewodzi mu Horvath.

Burmistrz ulega pod naciskiem: – Dam pieniądze Samorządowi Mniejszości Cygańskiej. Niech on rozwiąże problem tych 13 rodzin, niech im coś kupi – byle poza miastem. Ten kompromis wcale nie zmniejsza napięcia, przeciwnie. Bo nagle odzywają się wszystkie gminy województwa: mamy dość swoich Cyganów! Mieszkańcy wiosek wznoszą barykady, tworzą żywe łańcuchy przeciw cygańskim rodzinom. Nie chcą ich mieć za sąsiadów. Cyganie uciekają, chronią się w budynku Czerwonego Krzyża w Székesfehérvár. Miasto mobilizuje służby porządkowe na wypadek zajść rasowych. Nastrój jak w Ameryce, gdy czarni mordowali białych.

Premier i parlament milczą. Dlaczego państwo nie chce bronić praw człowieka? Jak do wizji obywatelskich Węgier mają się węgierscy obywatele w kontenerach? Czy można dzieciom i wnukom zostawić kraj, w którym są kolorowe getta? Czy można dopuścić do tego, by za kilkadziesiąt lat zrewoltowani Cyganie zgromadzili się pod sztandarem państwa Romów? Kto wtedy te masy rozbroi?

Zdarzenia w Székesfehérvár sprawiły, że Węgrzy zadali sobie te pytania. Cyganie popatrzyli wstecz. Pisarz Menyhert Lakatos, poeta Attila Ballogh, dziennikarka Agnes Daroci, Jozsef, jej brat, Aladar Horvath – były poseł Wolnych Demokratów – ze swoim dawnym mistrzem, charyzmatycznym przywódcą młodzieży Jenoe Zsigo – wszyscy oni musieli spojrzeć za siebie. Jaką szli drogą? Gdzie się zgubiła solidarność, euforia, nadzieje? Czy Węgrzy użyli Cyganów, by na ich przykładzie wykazać niegodziwość tamtego ustroju? Dlaczego o nich zapomnieli, kiedy już poszli w ministry i posły? Czy krótkie dzieje cygańskiej inteligencji są historią jej klęski?

Aladar Horvath wraca z Peczu. Miejscowej policji nie udało się ustalić, kim był zwariowany Rambo szalejący na Wapiennej. Na przyszłość komendant wprowadził zakaz używania masek. Rzepa i Czekoladka nie są już oskarżeni o próbę wytrucia miasta izotopem z ampułki. Dostaną grzywnę za kradzież ołowianych skrzyń. Horvath z rezygnacją wspomina peczeńskiego dziennikarza, który go wypytywał, czemu Cyganie nie założą partii politycznej, i któremu tłumaczył, że byłaby to grupa terrorystyczna, a nie partia. Myśli: – Wszystkie sprawy są wewnętrznie sprzeczne, a ja jestem gruby, zmęczony i stary.

Ósma Dzielnica. W górze fantazyjnie kute balustrady; kasztany, lilie, kalie rozkwitające na balkonach, w dole brukowaną ulicą idzie młodzież. Dziewczyny w długich, kwiecistych spódnicach, chłopcy krótko ostrzyżeni, za to z wąsami. Niektórym nawet udało się zapuścić brodę. Taka tu moda: uczyć się cygańskiego, wyglądać jak Cygan, być

Cyganem. Wchodzą w bramę, do stowarzyszenia, które nazwano Parlamentem Romów, bo kilka lat temu łączyło większość organizacji cygańskich. Ale socjalistyczny rząd udzielił wsparcia tylko jednej: Lungo Drom. Więc Lungo Drom opuścił romski parlament, a za jego pieniędzmi pociągnęli słabsi. Robią to, czego oczekuje od nich władza. Podobnie z Samorządami Mniejszości Cygańskiej – przy ich wyborze decydujący głos mają Węgrzy.

Chłopcy, którzy zapuszczają brody i wbrew rozsądkowi uczą się cygańskiego, naprawdę wiedzą, czego chcą. Jeżdżą po kraju, zakładają kluby cygańskie, organizują letnie obozy dla zdolnych, badają, czy dzieciom nie dzieje się krzywda. W Tiszavasvári nad Cisą szkoła na pożegnanie absolwentów przygotowała dwie akademie: dla Cyganów i dla pozostałych. Względy higieniczne, cygańskie dzieci mają wszy – objaśnili pedagodzy. Przy okazji wyszło na jaw, że w Tiszavasvári Cyganie uczą się w osobnym budynku, bez dostępu do bufetu i sali gimnastycznej. Ciemnoskórzy absolwenci nigdy tej sali nie widzieli, ćwiczyli na boisku niezależnie od pogody. Chłopcy, którzy bywają w Parlamencie Romów, mają po dwadzieścia lat. Nienawidzili szkoły. Czasem rodzice okładali ich pokrzywami, a potem wzywali lekarza, żeby wystawił zwolnienie. Nauczyciele brali zeszyty cygańskich dzieci w dwa palce, za róg, i krzywili się znacząco.

W przyszłości Cyganie mogą liczyć tylko na to, co stworzą sami. Świadomie. Dlatego muszą się uczyć. Tak twierdzi spokojny, wyciszony Jenoe Zsigo. Chłopaki i dziewczyny siadają w fotelach obciągniętych jaskrawymi pokrowcami. Jenoe pokazuje im obrazy, które tu zawiesili cygańscy artyści. Zapala świece. – Myślicie, że to nieludzkie być Cyganem – szepcze. – Powiem wam bardzo smutną rzecz. Cyganom odebrano wiarę w siebie. Moja generacja wam jej nie przywróci, bo nie jest do tego zdolna. Czeka ją samozniszczenie. To wy powinniście określić na nowo istotę naszej duchowości. Półmrok, nieruchome głowy. Słowa działają jak magnes. Jenoe, milknąc, zacinając się, wylicza swoje przykazania:

Musicie zerwać z postawą niewolnika.

Musicie być wolni od przesądów wobec większości społecznej i od przesądów między grupami Cyganów; Cyganie różnią się od siebie, ale wszyscy są tak samo dyskryminowani.

Musicie działać na rzecz samoorganizacji Cyganów.

Musicie stworzyć cygański język międzynarodowy.

Musicie pokazać światu naszą kulturę.

Musicie zasłużyć na miano europejskiego polityka.

– Dziś nie możemy sami wybierać naszych przywódców, to feudalizm. Przygotowujcie rewolucję.

Jenoe kończy tak cicho, że z trudem można go zrozumieć, i schyla się po gitarę.

To właśnie Jenoe Zsigo prowadzi kultową kapelę Ando Drom. Słuchają jej węgierscy studenci i Cyganie. W zespole nikt poza szefem nie zajmuje się polityką. Ale i on powtarza: – Muzyka najwięcej zdziała. Jenoe pochodzi z muzykantów. Ojciec, skrzypek, grywał na weselach albo w karczmie. Jeżeli dostał napiwek, to dzieci miały co jeść. Mieszkali w centrum miasteczka, dziesięć osób w pokoju. Prowadzili dom otwarty. W dzień nauka gry na instrumentach: altówce, skrzypcach, kontrabasie, gitarze, perkusji. Wieczorem przychodzili goście – Romungro, Olahowie, Węgrzy, żeby pogadać i pośpiewać. Nocą w kuchni odbywały się próby orkiestry jazzowej.

Matka chciała, żeby synowie wyuczyli się fachu, bo to daje grosz. Zakazała muzykowania. – Ale muzyka to instynkt – mówi Jenoe.

Z początku Ando Drom robił zwykły folk. Kopiował to, co muzykolodzy zebrali 50 lat temu wśród Cyganów i uznali za wartościowe. – Po pewnym czasie się kapnąłem – gramy, co każą. To nie jest nasze – ani muzyka, ani treść. Przypominamy figury woskowe z jakiegoś panoptikum. Więc powiedziałem reszcie: dajmy sobie spokój z tym zespołem, koniec. Nie skończyli. Za to zrozumieli coś ważnego. Skoro nie wiedzą, co to jest oryginalna muzyka cygańska, bo nikt nie zna jej korzeni, muszą szukać w sobie. To oni są źródłem.

Micu: rozwódka, sama wychowuje córkę, chodzi z Węgrem.

Monika: siostra Aladara Horvatha, żyje bez ślubu z chłopakiem, który pozwala jej śpiewać, i zajmuje się dzieckiem. To nowoczesny, wykształcony Olah. Ale rodzina się gorszy. Gusti: handlarz ubraniami, gra na dzbankach na mleko, bez muzyki nie potrafi żyć. Gojma: handlarz pierzem, który polubił te dzieci. Anti: jego syn.

Jenoe: – Pytam ich: czy chcecie mówić muzyką? Zróbcie z siebie instrument, dotykajcie głosem. Melodia musi przejść przez skórę. Niech ci, co was słuchają, poczują się wolni. Dla Micu było dziwne, że taka młoda dziewczyna, Cyganka, może wyrazić siebie. Aż pewnego razu na koncercie, kiedy śpiewała *Kaj Phirel o Del*, zobaczyła, jak mama podaje jej wiadro na wodę. Wzięła to wiadro i poszła do odległej studni. A pod domem upadła, wszystko się wylało. Micu zaczęła płakać. Potem na nowo podjęła piosenkę:

Nie miałam siły mówić
Milczałam
Zły wiatr wieje
Gdzie moje imię...
Moje serce płacze, marzę

Myślę o moim życiu
Spoglądam wstecz, wiem,
Że nie znam prawdy...
Gdzie jest Bóg
Czy o nas zapomniał?

Odtąd Micu nie boi się śpiewać o sobie. Zamyka oczy, a jej głos opowiada o wędrówce z Indii, o wymyślonej pokucie, o struganiu łyżek, o gromadzie, o zeszycie trzymanym w dwóch palcach, o metalowych kontenerach. *Kaj Phirel o Del?* Czy nie zapomniał o nas Bóg?

Pomiędzy winnicami miasto Pecz, rynek i Trójca Święta z białego kamienia, a dalej stroma droga ku kopalni. Sto siedemnaście betonowych stopni w dół. Marice śnił się sen, jesienią. Widziała ptasie gniazdo, z którego wypada jajo. Za jajem szybuje jaskółka, rozwiera dziób, próbuje je schwycić. Ale nic z tego, jajo upada na ziemię i pęka. Wtedy spomiędzy liści cygańskiej cebuli wypełza wąż. Pożera pisklę. Na wiosnę Imre odwiózł Marikę do szpitala. Lekarze uradzili, że zrobią jej cesarskie cięcie. Nie widziała córeczki. Imre dwa dni siedział przy inkubatorze. Odszedł, kiedy dziewczynka umarła. Teresa, nauczycielka beaskiego, namówiła Marikę na szkołę pielęgniarską. Imre kończy kurs dla robotników tartacznych.

Rodzina Rzepy miała w wąwozie przygodę. Ze śmietnisk, a może z kopalnianych szybów, wyszły szczury i przez dziurawą podłogę wlazły do domu. Kobiety z wrzaskiem skoczyły na łóżka, mężczyźni zaczęli się uwijać z siekierami. Potem Rzepa zapakował szczurze zwłoki w reklamówki i zaprosił znajomą dziennikarkę z kamerą. Omal nie zwymiotowała: jedna torba pękła, szczury się wysypały. Pokazała to w telewizji. Wtedy samorząd dał Rzepie mieszkanie.

Imre z Mariką załatali podłogę i zostali sami na Wapiennej. Odkąd zabrakło Rzepy, nie ma komu pilnować tu cygańskich zasad. Któregoś dnia Rzepa przyszedł z bulterierem: – To dla ciebie, Marczi. Marika uwierzyła w znaki. Nie widziała córeczki, potrafi śmiać się jak dawniej. Imre zagląda do Agnes, która ma kolejnego niemowlaka. Kiedy przychodzą goście, prosi jak zawsze: – Nie gapcie się z góry na dziecko, bo mu zabierzecie sen.

Czerwiec 1998 r.

Kaczki

Było to w czasie wojny. Cyganie
wędrowali nocami, za dnia kryli się
po lasach. Pewnego razu, gdy tabor stał
po cichu na polanie, w obozie zjawiła
się obca kobieta. Gospodyni
z pobliskiej wioski. I zaraz w krzyk:
– Gdzie moje kaczki?
– Myśmy ci kaczek nie skradli
– odpowiedzieli Cyganie. – Chodź, sama
zobacz, w trawie nie ma nawet piórka.
Nie jemy kaczek z piórami.
Gospodyni nie uwierzyła. Wtedy
Cyganki zdjęły złote kolczyki
i pierścionki: – Weź, oddasz nam,
jak kaczki wrócą.
Ale gospodyni odmówiła, o Cyganach
zameldowała żandarmom. Wystrzelali
prawie cały tabor. Kilku uciekło,
zaszyli się w życie. Słońce już zaszło,
potem zrobiło się ciemno, a oni wciąż
leżeli w polu.
Przed nocą usłyszeli, jak wracają
kaczki.

KARCER

Sliwen we wschodniej Bułgarii. Chyba wszyscy ludzie siedzą w blokach. Puste ulice, martwe skrzyżowania. Nawet na stacji kolejowej, skąd odchodzą pociągi do Sofii i Warny – cisza. Ale wystarczy z peronu zejść w dół, pokonać ekskrementy, śmieci, potem znów w górę. Trzeba stanąć plecami do miasta, by to usłyszeć. Wyżej niż dachy domów i lepianek, nad końskie łby, nad głowy dzieci płynie ten dźwięk – piskliwy, natarczywy, monotonny. Trąbka. Azja.

Tu jest cygański kwartał, mahała (wiele miasteczek i miast ma taką mahałę: Pazardzik na Iztoku, Sofia na Christo Botew, Plewen na Bukowlaczu). Topografia: od Sliwen oddziela ją solidny mur zakreślający obszar dwóch kilometrów kwadratowych. Krańce muru się nie łączą. Przesmyk prowadzi do stacji transformatorowej i na łąki. Jest jeszcze jedna droga, bliżej miasta. Takie miejsce, gdzie muru nie ma, tylko puste magazyny. Pomiędzy budynkami można się przemknąć do getta. Policja strzeże tej szczeliny.

Tędy, przez wąski korytarz uliczki. Po prawej i po lewej piętrowe domy z podcieniami. Kumoszki na tarasach, balkony, na których wietrzą się dywany, drzwi otwarte, a w głębi dzieci na nocnikach. Kobiety paradują w kwiecistych szlafrokach. Dziewczyny prowokująco strzelają oczami. Mężczyźni ułożyli gazety pod ścianą, wyciągnęli rakiję, grają w karty. Tutaj mieszkają Cyganie, którzy uważają się za Turków. Wielki ścisk, wielkie potrącanie. Mahała jest pocięta przecznicami jak plansza gry w kółko i krzyżyk. Dwa kroki stąd, za rogiem, na ściętej chłodem ziemi końskie odchody, ludzki kał. Dzieci, bose i bez majtek, grzeją się w płomykach ognisk. Przekupnie wykładają żyletki, grzebienie, blachy ze skwierczącymi rybami. Pod ścianami odpadki: pestki papryki, skóra z dyni. Zwąchało to kilka prosiąt. Kobiety siadły na stołeczkach, rozbijają orzechy – co metr pagórek łupin. Na środku drogi osioł, ani drgnie. Tu w biedadomkach mieszkają Jerli – prawosławni Cyganie bułgarscy – i tureccy, którzy są muzułmanami (w czasach tureckiej okupacji część Cyganów wybrała chrześcijaństwo, inni – islam).

Ostatnią, górną strefę getta zajmują Cyganie Goli. Tak mówi o nich reszta. Goli są wyrzutkami. Żyją w błocie, w gównach po kolana, ze szczurami. Policja nigdy tu nie wchodzi. W tym kręgu piekła panuje gwałt, anarchia, mord.

Każdego ranka z łóżek i barłogów mahały wstaje czternaście tysięcy ludzi. Bogaci, biedni, mądrzy, głupi, prości, garbaci, dobrzy, źli. To państwo w państwie, Bułgaria w Bułgarii.

Na skraju żelaznego łóżka siada strapiona, chuda Minka: – Wszyscy nasi mężczyźni są w więzieniu. Dwaj moi bracia, mój mąż, siostry mąż. Ukradli. To się zdarzyło przed rokiem. Raz na dwa lub trzy miesiące jeżdżę do Angeła. Wiozę mu trochę papierosów, sera, chleba. Mało. On mówi, że ciągle jest głodny. Kiedy go widzę, brakuje mi słów. A chciałabym powiedzieć: Angeł, nie masz pojęcia, co się dzieje. Sąsiedzi szybko się zwiedzieli, że w domu są same kobiety. Przychodzą do nas wieczorami. Straszą, że będą gwałcić, biją, chcą pieniędzy. Ja nie mam, dzieciom burczy w brzuchu. Osiem tysięcy rodzinnego nie wystarcza. Matka grzebie w śmietnikach, szuka miedzianego drutu. Dziś pożyczyłam od Turka – lichwiarza. Nie mogę dać ci więcej. Nie wiń mnie.

W lepiance na stołeczku przycupnęła Conka, krewna Minki. Podkłada drewno do kozy: – Nikołaj był wczoraj w Sliwen na rozprawie. Poszłam, żeby sąsiedzi nie gadali. Nie widziałam go półtora roku i więcej nie mam zamiaru oglądać.

Pomarszczona matka Conki: – Nie mów tak, to nie jest zły chłopak.

Conka: – Właśnie że będę mówić. Już go nie chcę.

Krzyczą na siebie po cygańsku. Dzieci w płacz.
Matka: – Nikołaj pisze, że chorował.
Conka: – My nie odpisujemy.
Matka: – My też jesteśmy chore, z głodu. Dzieci
są chore. Mały wypił wodę psa i wymiotuje, a wnuczka musi się leczyć na oczy. Do doktorów nie chodzimy, i tak nie ma na lekarstwa. Krzesła sprzedałam,
żeby kupić chleb. Czemu Nikołaj kradł? Z tej mi-
zerii. Chciałabym coś mu dać...
Conka: – Nic od nas nie dostanie!
Matka: – Nic nie mamy.
W fotelu sadowi się garbata Pepa: – Na Krasimira
jestem wściekła. Ukradł, no i zostałam z dwojgiem
dzieci. Pewno jeszcze posiedzi, wcześniej miał sprawę o dywan. Zwrócił ten dywan następnego dnia,
ale mu prokurator nie wybaczył. Krasimir nie pracuje, więc go do złodziejstwa ciągnie. Chłop dwadzieścia pięć lat, a głupi. Oczy bym mu wydrapała.
Ja dużo rzeczy mu wysyłam, tylko nie wszystko
dostaje. Sierżanci podkradają, najczęściej papierosy
i kiełbasę. Krasimirowi chciałabym powiedzieć:
bardzo się martwię, brak mi ciebie.
    Przywieźli nowych. Czekają w kolejce. Dwa rzę-
dy mężczyzn po dwóch stronach korytarza na tle
żelaznych krat. Już się przebrali, pozakładali bluzy
w kolorze granatowym lub beżowym, do tego worko-
wate spodnie. Wszyscy krótko ostrzyżeni. Głowa za
głową, nic poza strachem na twarzach.

Władza więzienna ma tydzień na załatwienie formalności. Po tym terminie osadzony musi się znaleźć we właściwym bloku. Każdy więzień ma przypisany reżim – od lekkiego po specjalny. Od tego zależy, ile mu będzie wolno mieć pieniędzy, ile dostanie paczek, ile czasu spędzi w celi zamkniętej na klucz, czy pozwolą mu pracować. Podsądny trafi do podsądnych, recydywista do recydywistów, skazany na śmierć lub dożywocie, wichrzyciel, świr – do ciężkiego korytarza.

Sierżanci po kolei kierują nowych przed komisję. Więzień staje na progu.

– Nazywasz się?

– Asenow Emil.

– Czemuś tu trafił?

– Bo ukradłem.

– Co?

– Talerze, sztućce, wąż gumowy, termos, budzik i radio.

– Za ile to sprzedałeś?

– Za 50 tysięcy lewów.

– Towar wart milion. Jak znowu coś ukradniesz, dam ci więcej. Znajdź mnie.

Asenow pójdzie do bloku drugiego. Po nim na progu stają: Alekow, Jordanow, Nikołow, Angełow. Za cielaka, za magnetofon kasetowy, za indyki, za brytfankę ciasta i dwa kanistry. – Puste były! – zastrzega Angełow.

Teraz idzie jakiś młodziak. Chyba to jego pierwszy raz, bo mija próg, podchodzi do biurka. Komisja ostrzegawczo pomrukuje. Więzień nazywa się Jankow. Stanął, gdzie trzeba, dygocze.
– Czego się boisz?
– Że będą bić, zaczepiać. Mnie zawsze biją. W domu dziecka, w szkole. Od tego mam szramy na głowie.
– Co z matką?
– Wyszła drugi raz za mąż, za Bułgara. Wygania mnie. Mieszkam po stodołach.
– A co ukradłeś?
– Telewizor i walkmana.
– Chciałbyś o coś poprosić?
– O pracę, lubię pracować.

Środkiem szpaleru nowych przechadzają się klawisze – wyprostowani, czujni. Dawniej na widoku mieli pistolety, teraz tylko pałki. To wymóg demokracji. Karabiny maszynowe, gaz, kajdany, psy, stopnie wojskowe nie służą wychowaniu, lecz tresurze. Kiedy komunizm odchodził, więźniowie buntowali się przeciwko nim – mniej strachu, a więcej chleba.

Tu, w Łoweczu, nie udało się zbuntować. System budynków, bram, zasieków, murów powstał krótko przed wojną. Władza ludowa nie troszczyła się ani o mury, ani o to, co za murami. Więzienia wkrótce miały być zbędne. Władza rozumowała: zło rodzi się z wyzysku. Przestępstwo jest oporem przeciw poniżeniu. Zniknie, gdy robotnicy staną się panami fabryk. Ale i w socjalizmie ludzie kradli. Władza dostrzegła w tym kontrrewolucję. Wrogom nie remontuje się domów. I tak zostało do dziś.

Odkąd kraj zerwał z komunizmem, idą ze sobą w parze przestępczość i nędza. Niektórzy Bułgarzy (sprytni i wykształceni) tworzą mafię, organizacje przestępcze, uczą się malwersacji. Na scenę wkracza nowa postać – faraon finansowych piramid. Tak się tutaj nazywa oszust w białym kołnierzyku. Jest bezkarny. Niektórzy Cyganie i Turcy (sprytni, zamożni) za granicę turecką wiozą narzędzia, kupują buty i ubrania. Sprzedają je w Dymitrogradzie, to dziś ogromny bazar. Później przechodzą do wymiany: sprowadzają owoce, ślą bakalie. Cyganki suszą winogrona, łupią orzeszki. Cygańskie getta są źródłem najtańszej siły roboczej w Bułgarii.

W roku 1996 kraj ogarnął kryzys. Ludzie cierpieli i nadal cierpią. Bułgarom pensja nie starcza na chleb, Cyganie nie mają pensji ani pracy. W kilku miastach (Pazardzik, Płowdiw, Rakowski pod Plewen) doszło do zamieszek głodnych Romów. Ich dzieci mrą z wycieńczenia.

Nowy rząd wprowadził twardą politykę walutową. Ci, którzy znają się na wielkich liczbach, opowiadają, że skutkuje. Reszta rachuje w portfelach stotinki. Zawsze ich jest za mało. Bułgarzy dyskutują.

Kto ma pieniądze? Ten, co kradnie. Powtarzają
z oburzeniem: bandyci są u nas bezkarni, wyrok
dostaje trzech na stu. I na tych trzech skupiają
nienawiść.

Zdrawko Trajkow, profesor uniwersytetu w Sofii,
próbuje zmienić bułgarskie więzienia: – Potrzebuję
pieniędzy. Odpowiadają, że oszczędza cały naród.
Chcę, by w więzieniach zapanowały poprawne stosunki. Ale sierżant też człowiek, nie lubi złodzieja.
Taki nastrój. Sędziowie unikają kar w zawieszeniu.
Prezydent rezygnuje z prawa łaski. Stu osadzonych
na sto tysięcy mieszkańców to średnia europejska.
U nas skazańców jest niemal o połowę więcej.

Co trzeci kryminalista to Cygan – taką opinię
wygłosił kilka lat temu komendant główny policji.
Choć nic jej nie potwierdza, stała się powszechnym
przekonaniem. Wielu Bułgarów sądzi, że przestępstwo leży w cygańskiej naturze. Piszą o tym w gazetach, mówią w radiu. Neli Kuczkowa, przewodni-
cząca okręgowego sądu w Sofii, oznajmiła w ogólno-
krajowej telewizji: „Nawet jeśli sędziowie starają się
o maksymalny obiektywizm w ocenie zeznań Romów, bywa im trudno. Romowie znani są przecież
jako urodzeni kłamcy".

Ludzie chcą sprawiedliwości, jest im wszystko
jedno, jak się dochodzi prawdy.

Dwa lata temu do bułgarskich więzień weszli
obserwatorzy z Komitetu Helsińskiego. Zezwolił na

to reformator Zdrawko Trajkow. Ale komisariaty policji i areszty służby śledczej pozostały zamknięte. Mimo próśb bułgarskich obrońców praw człowieka ani jedna osoba nie dostała zgody, by tam wejść. Co dzieje się w tych miejscach, wiadomo z relacji (zbieranych od wiosny roku 1997 do dziś). „Do mojego domu w Błagojewgradzie przyszli zamaskowani policjanci. Zabrali mnie do lasu na skraju miasteczka i tam pobili. Chcieli mnie zmusić, żebym się przyznał do przestępstwa. Potem założyli mi kajdanki na nogi i zaciągnęli do studni. Jeden policjant powiedział: Cyganie, jak się nie przyznasz, to właśnie tu cię zastrzelę. Bili mnie wszędzie i trzymali mi głowę pod wodą. Później, w komisariacie, nadal bili. W śledztwie powiedziałem, że to moje przyznanie nie było prawdą, że mnie zmusili i że mnie prawie utopili w studni. Ale śledczy śmiali się i szydzili ze mnie".

Kolejne zeznanie. „Zatrzymali mnie za kradzież cielaka i zabrali do tego budynku, gdzie w Starej Zagorze są policjanci i śledczy. Zajął się mną śledczy J.L. i inni, i chcieli zmusić, żebym się przyznał do jeszcze jednej kradzieży. Kazali mi stanąć twarzą do ściany z rękami w górze. Biło mnie czterech mężczyzn, każdy czymś innym. Jeden wziął dziesięciokilogramowy odważnik, bił mnie po żebrach i bokach, a tamci po plecach i podeszwach. Potem okręcili mi szyję długim szalikiem. Dusili mnie we dwóch, każdy oparł się o mnie jedną nogą, żeby utrzymać równowagę. Zaczęli ciągnąć, aż straciłem świadomość. Ocucili mnie uderzeniami w twarz, oblali wodą. Byłem tak przerażony, że się przyznałem, chociaż tych krów nie ukradłem. Wymyśliłem jakąś historię o tych krowach. Śledczy, który patrzył na to wszystko bez słowa, rozkazał: zabierzcie go na dół, po południu wepchniemy mu zapałki pod paznokcie. Ale nie zrobili tego i następnego ranka zostałem zwolniony".

W roku 1995 rząd zezwolił na wizytę Europejskiej Komisji Zapobiegania Torturom. Jej wnioski: „W Bułgarii podejrzani pozbawieni wolności ryzykują, że będą maltretowani podczas zatrzymania lub przebywania w areszcie policyjnym. Policja ucieka się do tortur przy różnych okazjach". Nadużywania przemocy w aresztach śledczych komisja nie odnalazła.

Innego zdania są bułgarskie organizacje praw człowieka. Areszty Państwowej Służby Śledczej mają złą sławę. Świadczą o tym: potoczna nazwa – „maszynka do mięsa", wywiady wśród więźniów, listy do Komitetu Helsińskiego. „Szanowny Panie! W 1997 roku zabrano mnie na komisariat policji w D. Nie chciałem potwierdzić oskarżeń oficera, że ukradłem. Zmuszał mnie do tego, powtarzając uderzenia pałką gumową. Nazywał mnie brudnym cygańskim bękartem i śmieciem. Powtarzał to, gdy mnie bił. W wyniku bicia, bólu nie do wytrzymania podpisałem przygotowany już protokół. Wtedy mnie wzięto do aresztu, gdzie spędziłem dwadzieścia dni, aż obrażenia się zagoiły. Potem przekazano mnie śledczemu P., który uśmiechnął się do mnie i powiedział, że więcej nie będzie przemocy. Uwierzyłem i opowiedziałem mu, co wycierpiałem. Powiedziałem również, że chcę zatrudnić adwokata. Poprosiłem, by zorganizował konfrontację z człowiekiem, który mnie znieważał. A wtedy śledczy odparł, że może co najwyżej zorganizować 30 lat więzienia dla mnie. Zapytał, czy jestem gotów przyznać się. Odpowiedziałem, że nie mam do czego. Wtedy zadzwonił i zapytał, czy ktoś ma zapasową pałkę. Kilka minut później jeden z jego kolegów podał mu pręt metalowy powleczony gumą. Kolega wyszedł, śledczy zamknął drzwi na klucz. Przy każdym uderzeniu pręt się zginał, a śledczy go prostował, żeby móc bić nadal. Po kilkunastu uderzeniach odłożył pręt. Wziął trzonek, chyba od siekiery, i powiedział, że to pomoże mi odświeżyć pamięć. Powiedziałem, że natychmiast chcę się widzieć z adwokatem. A on pokazał trzonek: to jest twój adwokat. Zaczął mnie bić po całym ciele. Przeraziłem się, że uderzenie w głowę mnie zabije, i zacząłem podpisywać każdy skrawek papieru, jaki mi podsunął, nawet puste kartki. Potem śledczy zabrał mnie na dół do aresztu, gdzie przebywałem kolejne 20 dni, zanim mnie nie przewieźli do więzienia w Bobowdoł, skąd teraz piszę".

Według obrońców praw człowieka każdy, kto trafia do aresztu, jest narażony na nieludzkie, poniżające traktowanie. Bułgar ryzykuje mniej. Cyganie częściej są zatrzymywani, brutalniej się ich przesłuchuje, mają mniejsze szanse na obronę. Adwokat z urzędu występuje w sprawach, które grożą co najmniej dziesięcioletnim więzieniem. Cyganie rzadko popełniają czyny tak poważne. Uchodzą jednak za urodzonych przestępców, dlatego wyroki sądu za stosunkowo błahe wykroczenia osiągają zwykle górny pułap. „Znów mi przywieźli Cygana. Dostał półtora roku, bo ukradł jakieś głupstwo, zbutwiałe drzwi od obory. A bandyta, który Cyganem nie jest i kradnie luksusowy samochód, wykpi się. Dadzą mu sześć miesięcy, często w zawieszeniu" – informuje szef zakładu karnego w Płowdiwie.

Więzienie w Łoweczu: przemysł (dwie fabryczki), rolnictwo (krowy, kozy, owce, świnie, drób), przetwórstwo (mięso, mleko i pieczywo), ogrodnictwo (specjalność – warzywa pod folią), oświata (od pierwszej klasy po maturę), zdrowie (przychodnia, dwa szpitale – gruźliczy i psychiatryczny), kultura, transport, służba bezpieczeństwa. Księstwo.

Iwan Dymitrow, naczelnik więzienia, twierdzi, że tu panuje równouprawnienie: – My nie jesteśmy rasistami. Etniczna tolerancja i cierpliwość to nasza chluba narodowa. Zdarzają się konflikty, o higienę. Widziałem więzienia za granicą. Uderzająca czystość. Ale tam nie ma żadnego Cygana.

Podpułkownik Marin Kałczewski (człowiek, który przed laty udaremnił bunt dzięki armii donosicieli) pokaże nam więzienie. Absolwent prawa i akademii policyjnej. Władczy, konkretny. Odpowiada tu za dyscyplinę: – Strażnik musi być sprawny fizycznie i niepodatny na naciski więźniów. Recydywiści próbują się usprawiedliwiać, zwierzać, wkradać w łaski. Szukają słabego punktu. A wszystko po to, by uzyskać na przykład zmianę korytarza. Najważniejszy jest respekt. Strażnik ma prawo użyć siły. Czy użyje? To zależy od człowieka. Moi podwładni raczej nie mają zahamowań.

Dziedziniec. Wzdłuż bloku idzie sierżant, puka prętem w kraty. Rozpoznaje po dźwięku, czy nie są podcięte. Wkrótce strażnicy przekażą nowej zmianie, co się wydarzyło. Kałczewski: – Co dzień są wykroczenia. Większość sprawców to Cyganie, mają niską kulturę. Bójki, kradzieże, wymuszenia to normalka. Tak się zachowują i w rodzinie.

Podpułkownik narzuca kolejność zwiedzania. Szkoła, pralnia, stołówka – wszędzie nędza. Więźniowie skuleni w sobie, wymięci, pokorni, przylepieni do ściany na widok klawisza. Nawet nie zbliżamy się do cel. Podobnie chyba wyglądają odwiedziny Złatki Rusewej: – Jako pierwszy wiceminister sprawiedliwości znalazłam się w więzieniu w innej roli niż skazany. Więzienia są u nas przezroczyste. Zawsze zabieram ze sobą dziennikarzy. Chodzę po piętrach w błysku fleszy.

Teraz gabinet lekarski i Totio Neszkow, psychiatra: – Dla Cyganów więzienie nie jest stresem. Często siedzą, więc szybko się przystosowują. Gdy w celi są większością, brutalnie wpływają na kulturę pozostałych. Zwłaszcza młodzi Bułgarzy na tym cierpią. Muszą służyć. Poza więzieniem Cyganie są na samym dole, bo nikt nie chce mieć z nimi nic wspólnego. Tu rzeczy inaczej wyglądają. Zwłaszcza że czasem w tym samym oddziale siedzi cała rodzina: ojciec, synowie i wujek. To ich umacnia. Znamy te klany, pilnujemy.

Teraz kantyna. Kawę pije grupa więziennych psychologów: – Cygan to typowy złodziej, nie zrobi szwindla bankowego. Mówi: kradnę, bo muszę wyżywić dzieci. Kłamie. Oni kradną, bo lubią życie ponad stan, a nie znają pracy pożytecznej. Dla nich złodziejstwo jest pracą. Może nasz system jest niesprawiedliwy, dlatego do tego doszło. Ale my za system nie odpowiadamy. Psychologowie raczej nie mają problemów z mniejszościami romską i turecką: – Prymitywne natury łatwiej przyzwyczajają się do ograniczeń.

Do kantyny wchodzą dwaj mężczyźni. Po ich ubraniach, ruchach, twarzach od razu można poznać, że są z zewnątrz. Stanimir Petrow, dawny bułgarski opozycjonista, i Georgi Bankow, młody lekarz – goście z Komitetu Helsińskiego. Znamy się. Obiecali, że pomogą nam dotrzeć do właściwych korytarzy, cel. Więc razem do oddziału dziewiątego, plątaniną ciemnych przejść, które zawsze kończą się kratami, przez okrągły odrapany korytarz centralny na pierwszym piętrze, zwany tutaj karuzelą, przez metalowe drzwi z wizjerem, obok znudzonych strażników, obok wózków z pagórkiem blaszanych śmierdzących misek. Na ich dnie pływa rozgotowana soczewica.

Oddział dziewiąty, dla recydywistów. Klawisz prowadzi od celi do celi, narzuca tempo. Gdzie wstąpi, tam zrywają się na baczność. Człowiek obok człowieka, trzy piętra żelaznych łóżek, twarze czarne, koce szare, zaduch.

Stanimir łagodnie pertraktuje ze strażnikiem, żeby wyszedł. Sierżant staje za nie domkniętymi drzwiami. Ktoś komentuje: – Udają, że jesteśmy bardzo groźni. Recydywa!

Szesnaście metrów kwadratowych na dwunastu ludzi. Szyb nie ma, okna (umieszczone wysoko, pod samym sufitem) pozasłaniane szmatami. Jest za to mały stolik.

Przystojny, czarnowłosy Alief ma dziś dwudzieste piąte urodziny. Wyciąga papierosy, leje do kubka zimną kawę. Spieszy się. – Uciekłem z wojska i wyjechałem do Niemiec, dali mi za to siódemkę. Ja jestem Turek, cała rodzina w Turcji mieszka. Matki nie widziałem dziesięć lat. Przyjechała tu do mnie na widzenie, chce rozmawiać, a strażnik krzyczy, że nie wolno. Bo ona nie zna bułgarskiego. Zabronili mi mówić z matką po turecku. Ja do niej po bułgarsku, ona w płacz.

Ahmed, najbliższy przyjaciel Aliefa: – Zdaje im się, że mają demokrację. Tu jest rasizm. Cygan pracy nie dostanie, chyba że podłą, i to z trudem. Ale wtedy na chleb nie zarobi. Jak Bułgara, Turka i Cygana złapią na bójce, to do własnego łóżka spokojnie wróci tylko Bułgar.

Alief: – Tutaj żyjemy w zgodzie. Dla nich my wszyscy jesteśmy Cyganie.

Julian nieśmiało: – Ja siedzę za kurę.

Sali: – Nieważne, co ukradłeś. Jak cię złapią dwa razy, masz długi wyrok. Bułgar zabije i dostanie siedem lat. Tyle co Cygan za kilka paczek papierosów.

Odzywa się Kazim. Jest tu najstarszy, wygląda na sześćdziesiątkę. Dotąd obracał w rękach bibułkę i tytoń. Nosi wełnianą czapeczkę, wołają go Czapeczka. Dziwny jest: – Siedzę tu dziewiąty rok. Za morderstwo. Najpierw on mnie uderza, potem ten drugi rzuca się na niego z kosą, wtedy ja atakuję.

Tak. Wcześniej była praca, teraz nie ma. Zmniejszyli racje żywnościowe. Sypią nam jakiś proszek do jedzenia, jak psom. Żebyśmy nie pomarli. Zostało mi jedenaście lat. Tak. Chyba żywy stąd nie wyjdę.

Ahmed: – Powiedz, ile razy w tym miesiącu jadłeś mięso?

Czapeczka: – Co ty gadasz?

Ahmed: – Na stołówce chłopcy biją się o chleb, dupy dają za chleb. Ten, co dostanie paczkę, idzie korytarzem i woła: mam żarcie; który mi pociągnie druta? Ćwiartka chleba kosztuje cztery papierosy. Są tacy, co od miesiąca nie jedli chleba, tylko palą. Do celi zagląda strażnik.

Łysawy Bułgar skarży się półgłosem: – Śpię na najwyższej półce, koło okna. Zimno mi. Jak pada, budzę się mokry do pasa. Szyb nie wstawiają, to zasłoniłem je szmatami. Każą zdjąć.

Alief: – Wszyscy mamy kłopoty z pęcherzem. Jak dwunastu chłopa się odsika, kubeł jest pełny. Trzeba mordować się do rana.

Szczerbaty Miłko: – W łazience są trzy prysznice na 168 osób. Kto się umyje? Najsilniejszy.

Sali: – Z tego brudu i głodu szerzy się gruźlica. Do szpitala biorą tylko tych z dziurami w płucach.

Alief: – Mamy po dwadzieścia parę lat. Nie chcemy umierać.

Strażnik się niecierpliwi.

Czapeczka: – Ja trochę nie słyszę. Tak. Klawisz mówi w stołówce, że ręce do tyłu. Ja nie usłyszałem. Już wszyscy zjedli i wchodzą na górę, a mnie ten klawisz zatrzymał na karuzeli. Kazał się położyć na cemencie, bił i krzyczał, że teraz będę słyszał. Tak. Trzy miesiące krwią sikałem.

Alief: – Wyniesiesz chleb ze stołówki, to cię przykują do siatki jak Chrystusa i bawią się w karate. Tak robią Bracia Kożucharze. Ci, co trochę bardziej biją. Kiedyś byli w Warnie, za bicie przenieśli ich tutaj.

Strażnik: – Proszę kończyć.

Ahmed: – Jak człowiek posiedzi tu parę lat, to świruje. No i skłóciłem się z Salim o jakieś gówno, była bójka. Dostaliśmy karcer za to. Rozumiem, należał nam się. Ale nie musieli aż tak bić.

W lipcu 1998 roku ukazał się raport European Roma Right Center o losie Cyganów w Europie. Ma tytuł *Zawód: więzień*. Akty prawne, dane statystyczne, relacje zatrzymanych – prawie osiemdziesiąt stron. W całości dotyczy Bułgarii. Opracowali go Cyganie i Bułgarzy, wśród nich Stanimir Petrow. – Kiedy zaczęliśmy chodzić po więzieniach, nikt się nie cieszył. Klawiszy denerwowało, że rozdajemy broszurę *Wasze prawa w miejscach pozbawienia wolności*. A osadzeni się bali – może to kapusie. Pamiętam, jak w Łoweczu pierwszy raz ich zapytałem, czy tu biją. A oni na to: ależ skąd. Po pewnym czasie kilku zebrało się na odwagę. Opowiedzieli o przemocy: od kilku uderzeń po bicie do utraty przytomności. Przyjmuję, że mogą mnie oszukiwać. Ale ludzie, którzy żyją w takim strachu i tak prości wszystkiego nie wymyślą. Zresztą widziałem więźniów z sińcami na całym ciele – w Warnie, w Burgas. Atmosferę przemocy można wyczuć. Klawisze z pałkami w rękach, z podwiniętymi rękawami. Więźniowie, którzy się rozstępują na ich widok. Robią sierżantowi tyle miejsca, by nie mógł sięgnąć pałką, kopnąć. W takich więzieniach władze zakładają z góry, że strażnik jest niewinny. Na szczęście bywają więzienia, w których czasem funkcjonariusz jest karany.

Wnioski Komitetu Helsińskiego: w Łoweczu biją, kiedy się łamie regulamin. „Na przykład Rom J.J.H. na tydzień przed naszą wizytą został pobity i skopany, bo z krewnym w sali widzeń podzielił się kawałkiem kiełbasy z paczki. Pokazał pręgi na pośladkach, niebieskoczerwone, krwawe, które to potwierdzały. Inny Rom G.H.E., pobity i skopany przez sierżanta G. za to, że zabrał kromkę chleba z jadalni, powiedział: On często bije bez ostrzeżenia, po prostu szuka powodu i znajduje. Wystarczy nie zapięty guzik.

Wielu więźniów podejrzewa, że jeden z przypadków śmierci był wynikiem przemocy. 18.03.1996 r. Rom z Sewliewa o inicjałach G.E.H. pseudonim

Pędzel zmarł po pobiciu. Bito go za karę. K.H.S. zeznał, że został ukarany razem z Pędzlem za grę w karty. Potem mieli wyczyścić tzw. karuzelę, czyli hol na pierwszym piętrze. Podczas sprzątania Pędzel, astmatyk, powiedział, że źle się czuje, i spytał, czy może iść do celi po lekarstwo. Zgodnie z zeznaniem K.H.S. strażnicy odmówili i Pędzel wkrótce upadł na podłogę. Wtedy współwięźniowie powiedzieli jednemu ze strażników, że Pędzel potrzebuje lekarza. Lekarz przyszedł po dwóch godzinach, gdy Pędzel już nie żył. Zaświadczenie medyczne nr 261 dołączone do rejestru zmarłych stwierdza, że przyczyną śmierci G.E.H. było »zablokowanie górnych dróg oddechowych obcym ciałem – żywnością«.

Liczba przypadków śmierci w bułgarskich więzieniach wzrosła. Biorąc pod uwagę młody wiek osadzonych, do wysokiej śmiertelności należy podejść poważnie".

Więźniom należy się godzina na powietrzu. Spacer w Łoweczu: dziesięć minut palenia i dziesięć minut marszu (ręce za plecami, żadnego siadania i rozmów). Tak na zmianę. W kwietniu 1996 roku osadzeni zaczęli strajk głodowy przeciw tym spacerom. Trzeciego dnia do więzienia weszło wojsko z psami. Ponad połowę buntowników ukarano zmianą reżimu na ciężki (dzień i noc w zamkniętej celi), a wichrzycieli karcerem.

Wąski, niski korytarz bez okien. Po obu stronach drzwi. W każdych, na wysokości oczu, judasz osłonięty siatką. – Można popatrzeć – mówi jeden ze strażników. Tu stoją, tu chodzą w kółko, tu siedzą. W obiektywie wizjera ludzkie zoo. Zjawia się Marin Kałczewski, szef od dyscypliny. Brzęczą klucze i klatka się otwiera. Za drzwiami do karceru krata. Ją również odsuwają.

– Do tyłu!

Trzy przerażone postacie cofają się. Stają na baczność. Karcer: trzy metry na dwa, podłoga sporo nad poziomem korytarza. Brak powietrza. Ciemno, okno zasłonięte blachą. Zimno, blacha ma nawiercone dziury. Żadnych łóżek. Pod ścianą brudne materace ustawione na sztorc. Prześcieradeł nie ma. Żadnych rzeczy osobistych. Tu wolno wnieść tylko koc, szczotkę do zębów, bezpieczną butelkę na wodę.

Raport: „Jak strażnicy kogoś pobiją, to mu każą pisać oświadczenie. Dyktują uzasadnienie bicia. Więc najpierw biją, a potem cię karzą karcerem".

Stanimir Petrow: – W Burgas więźniowie nigdy nie dostają materaców, śpią na deskach karceru. To wbrew konwencjom. Według prawa karcer jest karą za poważne wykroczenia i zły wpływ na innych. Ale szefowie więzień twierdzą, że na Cyganów lżejsze kary nie działają.

Jaka to ładna cela. Kolorowa, wesoła, ze stolikiem przykrytym serwetą, z krzesłami. Trzy łóżka, na każdym białe prześcieradło, pościel, koc. Jest szafka z telewizorem, pod nim kanciasty przedmiot osłonięty makatką – wideo. Są gazetowe zdjęcia porno. Na parapecie grzałka, dzbanki, szklanki, kawa, herbata, czekolada, papierosy, cukier. Tu mieszkają: Władi (jasnowłosy, oryginalna bluza Nike), Joga (uśmiechnięty, odblaskowe okulary techno), Orlin (też jasnowłosy, cały w dżinsie). Joga wyszedł na korytarz. Iwan Petkow, zastępca naczelnika do spraw wychowawczych, rozpiera się na jego łóżku:
– Chłopcy, opowiadajcie, jak tu jest.

Władi: – Jak widać, nie tak źle. Ale wiele spraw trzeba poprawić. Naczelnik chciałby, tylko nie dają mu pieniędzy.

Orlin: – Przedtem siedziałem w Burgas, było znacznie gorzej. Tutaj są świetne stosunki między personelem a więźniami.

Władi: – Znam Belene. Widziałem, jak strażnicy wybili chłopakowi zęby, bo wyniósł chleb ze stołówki. Tu też nie wolno tego robić, ale nikt cię za to nie pobije, tylko zwróci uwagę, powie: oddaj.

Orlin: – Mamy samorząd. Władi jest przewodniczącym więźniów bez wyroku, ja tych z wyrokiem. Na korytarzu ma być czysto, to moje zadanie na piętrze. Tak pracuję: odsiadka mi się skraca, dostaję pieniądze. Ciekawe, w bloku dla recydywistów, w jednej celi mieszkają osądzeni i ci, co czekają na sąd.

Naczelnik Iwan Petkow (szczupły, obeznany z europejskimi teoriami wychowania, w okularach) nie rozstaje się z krótkofalówką. Co kwadrans wzywa go chrypiący głos, on odpowiada: tu piątka, tu piątka. Przed chwilą nie chciał zostawić nas samych. – My nie mamy przed sobą tajemnic, prawda, chłopcy? Teraz wychodzi, żeby pomówić z centralą.

Władi: – Niedawno była ucieczka. Takich trzech zrobiło dziurę w ścianie i przedostali się do biblioteki. Wcześniej przygotowali drabinę. Doszli z nią do ogrodzenia, oparli o mur. Jeden przeskoczył i uciekł. Drugi, Christo Tonew, właśnie stał na murze, kiedy nadbiegli strażnicy. Na oczach całego więzienia sierżant z trzydziestu metrów odstrzelił go. Za ucieczkę należy się pięć lat. Tonew dostał czapę, miał pecha.

Orlin: – W odwecie zrobili wielkie przeszukanie. Rzucali szklankami o ziemię, kradli widelce i łyżki, cięli kable, pozabierali dodatkowe stoły...

Wraca Petkow: – O ucieczce rozmawiacie?

Orlin: – W biały dzień uciec! Po czymś takim trzeba przeszukać więzienie, to normalne.

Petkow: – Co jest naszym zmartwieniem?

Władi: – Ciasnota. My mamy szczęście, ale inni okropnie się gniotą. Siedzą za głupstwa, mówimy o nich: kokoszkarze, bo kury kradną. To najgorsza nędza.

Orlin: – Najmuję tych Cyganów do sprzątania, płacę papierosami albo nożykami do golenia, albo...

Naczelnik: – Cyganie częściej łamią prawo. Nie dlatego, że lubią kraść albo że im się więzienie podoba. To wynika z ich statusu społecznego. Zwolnionym załatwiamy pracę przy oczyszczaniu miasta i w zieleni. To się udaje, mimo bezrobocia, bo na wolność wychodzi niewielu skazanych.

Odzywa się krótkofalówka: – Szef prasę na obiad zaprasza.

Jarzyny, ryż, mięso z grilla, cola, fanta, do wyboru koniak, rakija i dżin. Usługuje bezszelestny kelner – więzień. Ostrożne rozmowy. Toasty. Raz polewa naczelnik, raz zastępca naczelnika. Naczelnik ociera usta serwetką: – Środki mamy skrajnie niewystarczające. Jak kupię węgiel, brakuje na prąd, zapłacę pensje, to nie mam na wodę. Na wyżywienie więźnia mam pięćdziesiąt centów dziennie. Ratuje nas gospodarstwo: warzywa, prosiaki, cielaki. Robimy przetwory na zimę.

Zastępca Petkow: – Wspólny los zbliża osadzonych. Razem pracują, grają w szachy, śpią. U nas nie ma nieformalnych grup i liderów. Eksploatacja słabych – tak zwane drugie życie – jest niemożliwe.

Tak samo mówił reformator Trajkow. Ale jak to sprawdzić w Plewen? Iwan Petkow oprowadza po więzieniu jak po muzeum w Wielkim Tyrnowie. Tu pracownia krawiecka, tu ślusarnia, a tu Cyganie, moczą i plotą wiklinę. Niesamowite, ile tutaj jest żelaza. Bariery, bramy, schody, drzwi, poręcze, wózki, siatki, kraty, maszyny, krany, narzędzia, zbrojenia powleczone brunatną rdzą. Petkow niestrudzenie oprowadza, mówi o Janie Jakubie Rousseau i o bułgarskich reformach: – Demokratyzacja nie może grozić samowolą.

Dziwna wycieczka po świecie bez świadka. Klawisz przed nami, klawisze za nami, a obok Petkow z chrypiącą krótkofalówką. Nieustannie dzieli się informacjami o trasie. Gdziekolwiek wejdziemy – tam już czekają, już wiedzą. Klucze, zamki, zasuwy. Jedne można otworzyć, innych – nie. Coraz więcej mundurów: spojrzenia, porozumiewawcze gesty, szepty, głośne komendy – szyfr dla obcego niezrozumiały. Wzywam jedynkę. Tu piątka, tu piątka. Uśmiech. Petkow namawia, by porozmawiać z bibliotekarzem i z fryzjerem. Są jego ludźmi, ale tego nie mówi. Wracamy do oddziału, w którym o czystość dba Orlin.

Joga – domyty, odżywiony, elegancki. Szpaner. Paraduje po mrocznym korytarzu w swoich odblaskowych okularach. Przez otwarte drzwi celi komenderuje: – Dawaj jogurt, Orlin. Usłużny Orlin zrywa się, nie zapomina o łyżeczce. Korytarz patrzy, a Joga zajada.

Głodni są, choć właśnie wrócili z obiadu. Jadalnia: lepkie, łuszczące się stoły i rząd żelaznych szafek na jedzenie z paczek. Porcja: cuchnąca breja z kapuścianym liściem, pajda chleba. Do tego, co komu żona dała: dynia, cebula, keczup, czosnek.
– Można pomówić z więźniami?
Iwan Petkow: – Proszę.
Cela. Trzy piętra żelaznych łóżek, od najwyższego do sufitu siedemdziesiąt centymetrów. Ściany odrapane. Na betonowej podłodze plastikowe butelki z wodą, pety gaszone butem. Nad głowami ręczniki. Jest listopad. Latem nie wytrzymywali z gorąca, więc szyby w oknach wytłuczone. Opatulili je folią. Od kubła śmierdzi moczem. W celi są miejsca lepsze albo gorsze. Kto śpi przy kuble, kto przy oknie?
Więźniowie wyglądają identycznie. Ale kiedy im się przyjrzeć dłużej, widać różnice: jedni mają porządne buty, inni kapcie, inni porwane tenisówki. Niektórzy są w więziennych ciuchach, inni w koszulach i swetrach. Ich łóżka też się różnią: ten dostał prześcieradło, ten jeszcze poduszkę, a ten tylko koc. Zaduch.
Atanas: – Trzydziestu dwóch nas tu siedzi. Są Bułgarzy i Turcy, ale najwięcej Cyganów. Dwudziestu sześciu dokładnie.
Celę często zamyka się w dzień, w nocy zawsze. Półtora metra – tyle przypada na więźnia.

Atanas: – Budzisz się, pucujesz, ubierasz, szczasz, srasz, jarasz, wyjesz, kradniesz, usługujesz albo tobie służą, walisz konia, pierdolisz albo ciebie pierdolą. A wszyscy się gapią, dogadują. Ciągle kogoś dotykasz, ciągle ktoś cię potrąca. Atanas zaprasza do swojego kąta. Dochodzi Szklarnia (przewisko) i gęsto tatuowany, obdarty Nikołaj. Złodzieje.

Szklarnia: – W Bułgarii jest korupcja. Płacisz, to cię nie wsadzają. Wsadzą cię – jak masz pieniądze, to przeżyjesz. Chcesz dobrą celę? Płać. Chcesz, żeby była otwarta? Płać. Chcesz w więzieniu pracować, skrócić sobie wyrok? Płać. Chcesz przepustkę? Dawaj sto marek za dzień.

Nikołaj: – Klawisze się targują. Mówi taki: jak cię nie poślę do karceru, to co będę z tego miał? U mnie litość kosztuje pięć tysięcy lewów.

Atanas: – Cyganie nie mają pieniędzy. Kto nie dostaje paczek, zdycha z głodu. Chłopcy za innych czyszczą kible, piorą, kubły rano wylewają. Jeszcze gorzej pracują na kawałek chleba.

Szklarnia: – Ja tam nie sprzątam, mam swój honor.

Nikołaj: – Sprzedałem sweter za cztery papierosy. Na zewnątrz ten sweter kosztuje miliony. Tu wszystko ma inną cenę. Jeżeli jesteś biedny, słaby, chory – płacisz więcej. Możesz sobie znaleźć opiekuna do obrony. Ale jak dostaniesz przekaz albo paczkę, to musisz mu odpalić. Rządzi ten, co ma telewizor. Bułgarzy są bogatsi, im lżej.

Atanas: – Zostało mi dziesięć lat odsiadki. Gdybym tak dostał ze sto paczek papierosów – z filtrem czy bez, wszystko jedno, to już do końca byłbym król. Bo mamy taki zwyczaj: jak weźmiesz papierosa, to po tygodniu musisz oddać dwa. Na tym można zbić kapitał.

Nikołaj: – Chciałbyś jogurcik wcinać? Przestań marzyć.

Szklarnia: – Joga sra forsą, był żołnierzem w mafii. Klawiszy kupił. Tacy tu rządzą. A na wolności inaczej? Nadchodzi obznajomiony z europejskimi teoriami Iwan Petrow: – Prawda, że małą Bułgarię tu mamy?

To jest dobry kryminał. Ani biedny, ani ciężki. Biją tylko przez pierwsze dwa dni, dla respektu. Tak o Plewen mówi więzienna legenda.

Latem odświeżono tu cele, wycyklinowano parkiet w sali konferencyjnej i ustawiono jasne stoły. Tu zasiadają władze więzienia, gdy przybywają nowi – zwykle pierwszy raz skazani. Wchodzą pojedynczo, zatrzymują się dwa metry przed komisją. Ściśle określoną odległość narzuca wymalowany na podłodze zielony prostokąt. Mieszczą się w nim dwie stopy, dwa buty. Złączone, co wymusza pozycję na baczność.

Rok temu stanęli tu Angeł, Nikołaj i Krasimir – mężczyźni z mahały w Sliwen. Potem wyprowadzono ich do celi przejściowej, zawsze tak się robi.

Tam przez tydzień spali na gołych sprężynach. Teraz Angeł i Nikołaj znów patrzą na zielony prostokąt. Napięcie na twarzach, niepokój: po co sierżant ich tu woła? Uśmiech: słyszą, że przywozimy wieści ze Sliwen, od żon.

Angeł, mąż Minki, jest chudy i niski: – Nie było pracy, dzieci głodowały. Postanowiłem, że ukradnę. W nocy we wsi Samojłow weszliśmy na jedno podwórko. Po krowę.

Nikołaj, mąż Conki, pokazuje w uśmiechu złoty ząb: – Zobaczył nas pies, ale uciekł.

Angeł: – Czterech nas było. Ja z Nikołajem. Krasimir, niedawno zabrali go do gruźlików. I jeszcze jeden Cygan nam pomagał, on siedzi w Pazardziku. Chcieliśmy sprzedać mięso.

Nikołaj: – Krowę ukryliśmy w bunkrze.

Angeł: – Po schodach tam zeszła! Potem przyszli kupcy. Prosili, żeby im tę krowę zabić. Ale ja tego nigdy nie robiłem.

Nikołaj: – Ani ja! Więc wyszliśmy. Oni zapłacili i zostali z żywą krową.

Angeł: – Widać ktoś nas wcześniej przyuważył. Najpierw otoczyli nas chłopi z Samojłowa i pobili. Później przyszła policja.

Nikołaj: – Kazali nam biec do bunkra, żeby zdążyć, zanim krowę zarżną. Nie zdążyliśmy.

Angeł: – Potem bili nas policjanci, pałkami.

Nikołaj: – Dostaliśmy po dwa lata.

Cela: cygańskie getto w bułgarskim więzieniu. Są tu Angeł, Nikołaj, kupiec krowy (dostał pół roku) i jeszcze szesnastu innych. Dziesięciu z mahały w Starej Zagorze, dziewięciu – ze Sliwen. (Nikt nie policzył, ilu Cyganów jest w więzieniach. Ale wiadomo, że najwięcej w oddziałach dla recydywistów: ponad 80 procent. Dlatego o tych oddziałach mówi się: bloki cygańskie).

Angeł: – Znaleźliśmy się tu razem według życzenia. Władza się zgodziła. Tak nam raźniej. Wszyscy za kradzież, artykuł 95. My za tę krowę, ci za sto litrów oleju silnikowego, ci za złom.

Na dziewiętnastu mężczyzn – czternaście łóżek. Niektórzy śpią po dwóch. Najgorzej tym od ściany, która graniczy z umywalnią. Krany nie mają kurków, więc zimna woda leje się tam dzień i noc. W niedawno odmalowanej celi farba odpadła, rośnie grzyb. Mężczyźni ze Sliwen przekazują wieści do cygańskiego kwartału.

Pierwszy: – Jak słuchamy, to jest dobrze. Jak nie, to źle. Ale się nie martw.

Drugi: – Zimno tu. Szyby nie my wytłukliśmy. Jakby Cygan zbił szybę, Cygana by zbili. Przyślij koc.

Trzeci: – Kaloryfery grzeją godzinę dziennie. Potrzebny mi sweter.

Czwarty: – Wszyscy tu chorujemy. Lekarz daje tylko aspirynę. Potrzebuję na lekarstwa.

Piąty: – Dzięki za cebulę z domu.

Szósty: – Przyślij na papierosy.

Siódmy: – Prowadź się dobrze. Rozmyślam, kto dla ciebie teraz kradnie.

Ósmy: – Jak tam nasza mahała? Co u Rumena, u Deko, u Giro?

Dziewiąty: – Ty nie płacz, tylko pilnuj dzieci.

Luty 1999 r.

Aśfic

Starzy Cyganie z taboru
Baro Władka na Oświęcim
mówili Aśfic.
Nie rozumieli, dlaczego Niemcy
popędzili ich kiedyś za druty.
Gdy opłakali swoich zmarłych, kupili
konie, wozy i ruszyli w drogę.
Nie wspominali.
Minęły lata. Pewnego razu w sierpniu
tabor zauważył wojsko w lasach.
Czołgi zmierzały na południe,
ku Czechosłowacji.
Wtedy Cyganie uciekli w popłochu
na północ.
Myśleli, że to znowu jakaś wojna
i że ich wezmą do Aśficu.
A była to inwazja pięciu państw.

ERDELEZI

Jerzemu Ficowskiemu

Rafet w gatkach stoi przed otwartą szafą. Ogląda garnitury. Z radia dolatują wiadomości. Przez ostatnie dwie doby samoloty NATO startowały ponad 600 razy. Użyto bomb nowego typu, które odcięły dopływ prądu. Dwa pociski trafiły w budynek telewizji w Nowym Sadzie. Uchodźcy mówią, że Serbowie zastrzelili i zadźgali 32 Albańczyków w wiosce Slovinje pod Prisztiną.

Rafet decyduje się na wiśniowy jedwabny garnitur, z kamizelką. Przymierza złotą bransoletę. Odlicza niemieckie marki, ukrywa je w wewnętrznej kieszeni. To dla pasterza ze wsi Racze.

Jest 4 maja 1999 roku. Wtorek.

Rafet Sulejman mieszka w Skopie, w dzielnicy Szuto Orizari, na którą wszyscy mówią Szutka. To lepsza nazwa dla brudnej cygańskiej mahały. Można tu dojechać autobusem. Wyrusza z centrum (za oknem cerkwie, gmachy urzędów państwowych, reklamy), pokonuje Wardar (z gór spływa śnieg, więc

rzeka jest mętna), mija meczety (dzielnica albań-
ska), łaźnie (turecka), potem kwartał przemysłowy.
Potem autobus zwalnia, bo ludzie łażą po jezdni.
To Szutka.

Główna ulica: gmina, poczta, szkoła, sklepiki
i kafany, ławki, na których przesiadują starcy, tarasy,
łuki, tralki, magnetofony na balkonach. Krzykliwie,
ciasno nawet w zwykły dzień, a co dopiero przed
świętami.

Rafet ma dom na uboczu. Wystawił na podwórko
plastikowy stół, w jedwabnym garniturze z kamizelką usiadł pod drzewem figowym. Przymknął oczy,
czeka na pasterza.

Dla Rafeta to już siedemdziesiąte Erdelezi.
Dawniej świętował w starym cygańskim osiedlu
– Topanie. Przyszło trzęsienie ziemi, został bez
dachu nad głową. Był rok 1963. Wiele krajów
pomagało wtedy Skopie. Amerykanie przywieźli
baraki z półokrągłymi dachami, wciąż jeszcze stoją
w Szuto Orizari. Tak powstała dzielnica. Stary nie
musi się ruszać spod figi, z cienia, by wiedzieć, co
dzieje się teraz na korsie. Wszyscy idą ulicą, bo na
chodnikach kram przy kramie: dresy dla chłopców,
dla dziewczynek różowe suknie z falbanami, buciki,
spinki, kokardy, grzebienie (w Erdelezi dzieci
muszą mieć wszystko nowe, do majteczek). Największy tłok przy szczotkach, płynach do czysz-
czenia, pędzlach, farbach.

Rafet zna to na pamięć. Niepokój w Szutce zaczyna się od wiosennego zrównania dnia z nocą.
Najpierw odzywają się młode Cyganki: – Uważaj,
mężu. Wielkie święto idzie.

Mąż udaje głupiego: – To co?

– Chcę sukienkę!

Cygan srogo: – Na sukienkę nie starczy. Trzeba
kupić jagnię. (Rafet wie, o co Cyganowi chodzi
– żeby żona przymilała się do niego). Na końcu nie
wytrzymują najbiedniejsze: – W zeszłym roku przed
świętem sprzedaliśmy telewizor. Zrób coś, bo nas
wezmą na języki. W domu ma być jagnię.

Rafet siedzi pod figowcem. Nasłuchuje. Baranek
u sąsiadów wystraszył się i beczy. Za chwilę na
kolejnych podwórkach: bee, bee, bee. A nad tym
klakson. Stary biegnie do furtki. Może to jedzie jego
jagnię.

Dla jagnięcia Rafet obszedł Bojane, Kopanicę,
Gorno Svilari i Dolno Svilari, Łaskovcy i Buković,
i Semeniszte, i Arnakię. Mógłby obejść całą ziemię.
Ostatniej jesieni był w Racze. Obejrzał stado, roz-
mówił się z gazdą. Powiedział mu: – Nie pożałujesz.
Mam czworo dzieci i dwie córki, wszyscy bogaci.
Jestem aktorem, grałem w filmie *Czarny kot, biały
kot* i zarobiłem dużo marek. Po byłej Jugosławii została mi emerytura. Dobrze zapłacę, jak wyhodujesz
mi najlepsze jagnię. Tłuste, zdrowe. Takie, żebym
był mistrzem. Pamiętaj, to nie jest zwykły baran na

kebabcze. To jest *kurban*. Ofiara. W grudniu gazda zjawił się w Szutce: – Rafet, już je mam.

Zwykle od równonocy stary przestaje spać: – Muszę zobaczyć moje jagnię. Tak było i tego kwietnia. Na amatorskiej kasecie wideo Rafet między owcami, na pastwisku w Racze. Następna scena: ręka z sygnetem wylicza pasterzowi zaliczkę: sto marek. Następna: ostatnie spojrzenie na jagnię i garnitur Rafeta (tropik, czarno-białe prążki) znika w samochodzie jugo. Koniec ujęcia.

Kamerzystą jest syn. Co rok dokumentuje historię jagniątka i Rafeta. Sporo już tego. W pierwszym filmie Azbia – wnuczka, trzyma się pstrej spódnicy mamy. Teraz dziewczyna ma trzynaście lat, sterczące piersi. Chłopcy z Szutki chcą patrzeć w jej niebieskie oczy, żadna Cyganka takich nie ma. Rafet wie, że chcą czegoś więcej, przegania chłopaków spod bramy. Pilnuje Azbii, żeby nie uciekła. Mała nigdy nie chodzi sama na spacery.

Dziś rano Azbia wycięła z tektury prostokątną tabliczkę i napisała: „RAFET MISTRZ". Zawiesi ją na szyi baranka, jeśli będzie najlepszy. Musi być. Jak Szutka Szutką, od trzydziestu pięciu lat nikt jeszcze nie pobił Rafeta.

Furgonetka przystaje, cały dom wybiega: kobiety przepychają się na schodach, dzieciaki piszczą. Cyganie wyciągają ręce po baranki, stawiają je na trawie.

Jagnię Rafeta kuleje.

Rafet wierzy w Allaha, jak większość Szutki. Cyganie dbają, by chłopca obrzezać, nim ukończy siedem lat. W ramadan poszczą, a na Święto Zakończenia – *bajram* – zabijają jagnięta. Kto nie złoży ofiary, zobaczy we śnie twarz rozzłoszczonego Mahometa.Prorok nie wtrąca się do Erdelezi, które wypada na czterdziesty dzień od równonocy – 6 maja. To Giurgiovden. Patronem jest święty Jerzy – ten od smoka, na koniu, na zielonym tle. Zielony Jerzy – mówią o nim na Bałkanach.

W Giurgiovden ożywają złe i dobre moce. Dawno zakopane skarby wychodzą z ziemi, żeby się wysuszyć. Pieniądze świecą błękitnym lub żółtym płomieniem. Tej nocy wiedźmy ściągają z nieba księżyc, zamieniają go w krowę i doją. Macedońscy, serbscy, bułgarscy pasterze do dziś po cichu w to wierzą. Nim w Giurgiovden – pierwszy raz tej wiosny – wyprowadzą zwierzęta na hale, obsypują zagrody okruszkami chleba. By święty Jerzy strzegł i błogosławił, dają mu przystrojone wieńcem młode jagnię.

Cyganie z Szutki kupują baranka na *bajram*, jak mają za co. Na Erdelezi – zawsze. Tłumaczą: – Wiosna przychodzi tylko raz do roku, to *baro dives* – wielki dzień. Gdy chcą, by im uwierzyć, zaklinają się: – Niech zginę w Giurgiovden, jeżeli kłamię. Nie ma ważniejszego święta. Rafet przysiągł ojcu, jak kiedyś ojciec swemu ojcu, że na Jerzego będzie miał najlepsze jagnię. Takie, które spodoba się

Bogu. Takie, że sąsiedzi pozazdroszczą, gdy je z orkiestrą poprowadzi przez mahałę.

Orkiestra czeka. Rafet waha się, spod figowca ogląda jagniątko. Ma to cztery miesiące, a wielkie jak dorosły baran. Pewnie! Nigdy trawy nie skubało, aż dziewięć mamek dawało mu cyca. Nogę ma trochę krzywą, ale to przecież nie z choroby. Od tłustości. Rafet skinął głową. Wnuczka Ramzie zdobi łeb baranka czerwonymi wstążeczkami, syn szykuje kamerę. Orszak rusza.

Dziś dzień sprzątania. Matka wysłała Elvisa po chnę. Taka farba do włosów, robią ją z gówna wielbłąda. Przed Erdelezi kobiety chętnie malują włosy na czerwono. Żeby kolor był lepszy, zamiast z wodą, mieszają chnę z rosyjską herbatą. Wszystko to Elvisa brzydzi, ale trudno. Lepszy spacer na targ niż szorowanie pojemnika na śmieci. Zwłaszcza dziś, gdy Szutka wylęgła na podwórka, na ulice.

W normalny dzień jest nudno. Elvis chętnie zabawiłby się z kolegami, ale za co. Tu wszyscy są bez pracy. W soboty młodzież z Szuto Orizari krąży po korsie jak po więziennym spacerniaku. O zmierzchu chłopcy robią zrzutkę, idą na piwo do kafany „Łysy Ali", a przed północą zabierają dziewczyny do ogródka przy szkole. Kto nie ma forsy, śpi.

Dziś inaczej. Cyganie wstali o świcie i nie wiadomo, kiedy się położą. Kobiety piorą, pochyłymi uliczkami płynie woda, wylewa się z rynsztoków, pieni na pokruszonym betonie, na kamieniach. Wiatr niesie zapach detergentów. Między owocowymi drzewami kołyszą się firanki, pościel. Elvis musi uważać: co krok kałuża, a pośrodku dywan. Gdyby wlazł na to w zabłoconych butach, Cyganka potraktowałaby go wężem. Bosym dzieciakom wolno tupać po dywanach. Za to pomogą wieszać je na płocie, tym od ulicy, żeby sąsiedzi widzieli.

Domek ciasno przy domku. Jeden większy, ozdobiony gipsowymi lwami, drugi lepiony, pokraczny. Przy każdym weranda z kolorową zasłoną zamiast drzwi i taras, na tarasie Cyganki z mokrymi rękami. Pucują, czyszczą na kolanach.

A mężczyźni malują. Nawet najgorsza elewacja, na której prawie nie ma tynku, musi być odnowiona – niebieska, żółta albo biała. To samo brama, furtka, balustrada. Cyganie kładą farbę wprost na rdzę.

Kto już skończył porządki, rozkłada na werandzie pachnące dywany, mości na nich poduchy. Odtąd życie będzie się toczyć na zewnątrz. Tu się przyjmuje gości, gotuje, śpi, je.

W pobliżu centrum Elvis spotyka Kenana. To kolega z teatru. Amatorski zespół nazywa się Romano Ilo – *Cygańskie Serce*. Wystawiają sztuki o niedoli, realistyczne. Mały Cygan głoduje, szpera po śmietnikach. Dwaj społecznicy (jeden swój, z Macedonii, drugi z zachodniej fundacji) ratują go przez kilka aktów, ale i tak umiera. To *Śmierć po dwunastej*. Kenana roznosi energia. Po drodze skacze, podśpiewuje, tańczy, bo wszędzie gra muzyka. Po chwili Elvis na koślawej uliczce wygina się w konwulsyjnym breakdansie. Widzą to umorusane dzieciaki. Podciągają koszulki i prezentują taniec brzucha – czoczek. Zaraz będzie tańczyć cała Szutka. Od strony „germańskich baraków" słychać hałas.

W przenikliwym dźwięku bębnów i piszczałek jagnię kuśtyka przez mahałę. Za nim procesja. Warto rzucić malowanie, pranie, czoczek, breakdance. Iść wzdłuż baraków. Zrywać wierzbowe gałązki. Śmiać się, kiedy baranek zaczepia owcę, domaga się cyca. Widzieć, jak Rafet wyciąga portfel, jak układa na grzbiecie jagnięcia pieniądze. Liczyć z pasterzem: pięć kupek, każda po sto marek. Chwycić sąsiada za ramię, tańczyć.

Krąg tańczących przesuwa się w horo, depcze po śmieciach. Wszystko, co Cyganki uprzątnęły, wylądowało na ulicach. Boisko tonie w brudach z zimy. Plastikowe butelki, lalki bez nóg i włosów, złom, spod tego przebija trawa. Wrak czerwonego mercedesa. Koń – czerwone wstążki w zaplecionej grzywie. Niebo bez chmur, na horyzoncie góry.

To Kosowo.

Neżdet Mustafa, burmistrz Szuto Orizari, przegląda gazety. Środa. Lotnictwo Sojuszu zbombardo-
wało wczoraj ponad 50 celów w Jugosławii. Mieszkańcy Belgradu spędzili noc w ciemności – wciąż
nie udało się naprawić sparaliżowanej przez bomby
grafitowe sieci elektrycznej. Miloszević twierdzi, że
NATO ostrzelało cywilny autobus w okolicy Peciu:
zginęły 24 osoby, 43 zostały ranne. Dowództwo Sojuszu temu zaprzecza. Serbowie oddzielili mężczyzn od reszty kolumny i zaczęli strzelać – opowiadają uchodźcy przybyli do przygranicznej miejscowości albańskiej Morina.

Burmistrz wie, że Macedonia niemal co dzień
otwiera granicę przed kilkoma tysiącami ludzi. To
ogromny wysiłek dla małego kraju, który wciąż się
lęka o istnienie. Wśród przypuszczalnych agresorów
wymieniane są Grecja, Bułgaria, Albania. Z republik
byłej Jugosławii tylko Macedonia zyskała niepodle-
głość bez wojny z Serbami. Nikt nie chce tu konfliktów. Cyganie też. Zwłaszcza że młode państwo
ofiarowało im coś, czego nie ma na całych
Bałkanach. Naród cygański uznano i wymieniono
w konstytucji. Są współgospodarzami. Idą za tym
prawa do oświaty, wydawnictw, telewizji, radia.
Cyganie biorą udział w życiu politycznym, założyli
trzy partie. W gminie Szuto Orizari romani jest
językiem urzędowym, na równi z macedońskim.
Neżdet Mustafa jest Cyganem.

On też ma kłopot z uchodźcami. Dziś przed urzędem spotkał kolejną grupę zmiętych, przerażonych ludzi. Cyganie przyszli wczoraj, koczowali całą noc, nadal siedzą na chodniku. Opowiadają bezładnie, że z Kosowa uciekali pod bombami, potem znaleźli się w obozie w Tetovie. Tam mieli gości. To chyba byli partyzanci z UÇK. Przybyli do ich namiotu wieczorem. Nie chcieli pokazać twarzy. Mówili: trzeba walczyć, jesteście muzułmanami. Rozkazali mężczyznom, żeby wracali do Kosowa. Potem zjawili się kolejny raz. Następnego dnia, gdy w obozie był największy ruch (dary, transporty, dziennikarze, goście), Cyganie wymknęli się.

Nie mają zamiaru wojować.

Neżdet Mustafa pamięta niedawne zdarzenie. To było tuż po rozpoczęciu nalotów. Na korsie spokój, cisza. Nagle krzyk – i histeryczna ucieczka. Szutka zrywa się, pędzi na oślep nie wiadomo po co. Potem wyszło na jaw, że kilku żołnierzy nie wróciło z przepustki. Poszukiwali ich żandarmi. Pukali od drzwi do drzwi. Otwierały Cyganki: – Męża nie ma, nie wiem, kiedy będzie. Patrol odjechał, ale Cyganie zdolni do noszenia broni spędzili noc na dachach, w piwnicach, w tapczanach. Byli przekonani, że to branka.

Od pierwszego nalotu w mahale jest strach. Wielu Cyganów handlowało na serbskich bazarach – zostali w Jugosławii, pod bombami. Inni mają rodziny w Kosowie albo w Serbii; całe Bałkany to kuzyni. Kobiety z Szutki płaczą przed telewizorem: — Zabiłabym Miloszevicia! Zabiłabym Rugovę! Oni winni!

Na początku kwietnia cygańskie rodziny dały znać do Macedonii: uciekamy. Odezwała się romska organizacja z Prisztiny: szukajcie naszych na granicy. Podjął się tego Amdi Bajram — poseł. Pochodzi z Szutki. Bogacz: opowiadają, że dorobił się na dżinsach i hazardzie. Rozdaje biednym mąkę, cukier, kaszę. Lider partii Związek Romski podczas wyborów w koalicji z Macedończykami. Polityk bez wykształcenia: mówi, co myśli. Szutka z entuzjazmem głosowała na Amdiego.

Amdi Bajram z burmistrzem Mustafą pojechali do Blace pod granicą, żeby załatwić szybki wjazd grupie uchodźców. Udało się. W ludziach nie wypadało przebierać. Do pięciu wynajętych autobusów wszedł, kto chciał. Albańczykami (80 procent) zajęła się organizacja El Hilal, zawiozła ich do Tetova. Cyganie, którzy nie mieli rodzin w Szutce, też tam trafili. Po trzech dniach z obozu wyciągnęło ich romskie stowarzyszenie Kam — Słońce. Cygańskie relacje są skąpe. Wynika z nich, że jedzenie było dobre, lecz Albańczycy nie chcą pomiędzy sobą Cyganów.

Kilka dni przed Erdelezi w samym Skopie było około półtora tysiąca Romów — uciekinierów z Jugosławii. W Szutce – siedmiuset. Ta liczba stale się powiększa. Neżdet Mustafa wie, że to ciężar ponad siły dla ubogiej Macedonii. O pomoc dla uchodźców poprosił Czerwony Krzyż, ambasady: Francji, Niemiec, Włoch. Każdy obiecał i nikt nie dotrzymał słowa.

Dobrila wygląda przez okno. Z zazdrością patrzy na odświętną Szutkę. Podwórko naprzeciwko: dzieci karmią jagnię. Mężczyzna wyszedł przed dom, trzyma lusterko, goli się. Skończył. Po chwili wszyscy wychodzą. Kobieta przystaje przy furtce, zerka na drogę. Dobrila wie dlaczego. Tego dnia Cyganie muszą uważać, żeby im rano nikt nie przeszedł przez ulicę.

Dobrila przyjechała tu z mężem i córką z Prisztiny. Willa, w której mieszkają, należy do bogatego Cygana. Zarabia w Niemczech, użyczył dachu uchodźcom. Żyją u niego w trzy rodziny. Każda – rozdarta. Saszo ma syna w Szwajcarii, Safet – rodziców i brata w Holandii, pięciu synów Dobrili pracuje we Włoszech. Chcieliby się połączyć. Na Zachód łatwiej wyjechać z obozu, ale za nic na świecie tam nie pójdą. Są szczęśliwi, że Amdi Bajram z granicy przywiózł ich prosto do Szutki.

Dobrila nie wyznaje się na polityce: – Żyłam z Serbami i Albańczykami, i było mi dobrze. Pamiętam, co powtarzał Tito: ludzie, trzymajcie się razem. Jeżeli przestaniecie żyć jak bracia, to będzie koniec świata. No i jest. Mnie te naloty się nie podobają. Dlaczego moja córka ma umierać? Safet kilka lat temu miał wypadek: – W głowie pękła mi kość. Krew lała się na zewnątrz, nie do mózgu. Szkoda, że nie umarłem. Safet stracił siłę, żeby żyć. Bezmyślnie kosi trawę. Po całych dniach chodzi w piżamie. Twierdzi, że mu pod czaszką huczą dwa magnetofony. W Prisztinie zostawił dorobek, tu dostał cztery puszki grochu, jedną poduszkę – i tyle. Safet wciąż rozpamiętuje: – Co noc schodziliśmy do piwnicy. Dwadzieścia dwie osoby, cztery narodowości: Serbowie, Albańczycy, Turcy i Cyganie. Razem jedliśmy i piliśmy kawę, nikt nie uważał, co jest czyje. Kiedy leciały bomby, wszyscy mówili: to przez NATO. Oni powinni myśleć trochę więcej. Potem się zmieniło. Nasz blok stoi w pobliżu Ministerstwa Spraw Wewnętrznych. Zbombardowali je, w bloku wypadły szyby, co do jednej. To był szok. Pomyśleliśmy, że zbombardują jeszcze komendę główną i pocztę – tuż obok. Wtedy, po ośmiu nocach, zaczęły się wyzwiska, kłótnie. Za byle słowo – w mordę. Nie mogłem tego pojąć. Normalny człowiek wszystkim życzy dobrze. Cyganie zawsze byli warstwą niższą, do sprzątania, i nie robili kłopotów. Aż zrozumiałem, czemu jest ta wojna. Bo Albańczycy chcą Wielkiej Albanii, specjalnych praw. A my, Cyganie, chcemy, żeby każdy miał te same prawa, żył po swojemu. Oni nas za to nienawidzą, przekonałem się w pociągu. Do Blace jechaliśmy dziewięć godzin, zakazali nam mówić po romsku. W Wielkiej Albanii będą nas asymilować.

Tego wieczoru, kiedy zbombardowano Ministerstwo Spraw Wewnętrznych, córka Saszy miała piąte urodziny: – Właśnie wracałem z cukierni. Syreny wyły, zgasło światło, a ja stałem z tortem w ręku jak idiota.

Sasza był w Prisztinie listonoszem: – Dawniej najwięcej listów nosiłem do Serbów, ostatnio do Albańczyków. Wykupili mieszkania w mieście. Bywało z nimi ciężko. Na przykład wyjaśniam urzędnikowi po serbsku, że chcę zarejestrować dziecko. On czyta moje dokumenty i w krzyk: masz muzułmańskie nazwisko, powinieneś mówić po albańsku. Bo to Albańczyk. Z Serbami inaczej się żyło.

Sasza zdecydował się na wyjazd po ostrzeżeniu sąsiada: – Nie obronię was, chociaż jestem serbskim policjantem. Uciekajcie, póki możecie.

Policjant ostrzegał Saszę przed własnymi rodakami: – Nieważne, że głosowałeś na Serbów, za Jugosławią. Ci od Arkana nie pytają. Masz muzułmańskie nazwisko, wypędzą cię z domu. Będzie dobrze, jak tylko na tym się skończy.

Sasza widział, jak to wygląda. Ludzie konwojowani w stronę dworca, pootwierane samochody, splądrowane sklepy: – Serbscy policjanci brali, co chcieli. Czasem zachęcali do tego Cyganów. Cyganie kradli, wynosili chleb z piekarni i sprzedawali drożej.

Sasza zostawił w Prisztinie mieszkanie i dom po ojcu: – Wolałem głowę ratować. Niedawno spotkał w Skopie znajomego Albańczyka: – To był bogacz. Miał agencję turystyczną, autokary. Czego mu jeszcze brakowało? Współczuję tym Albańcom. Dużo stracili, bo za dużo chcieli.

W Erdelezi sąsiedzi dają samotnym wdowom małego baranka. Memet pomyślał o uchodźcach. W imieniu Homosu (organizacja pomocowa) o zakup jagniąt poprosił fundację Sorosa. Przekonywał: – Macedonia sprzedawała baraninę Serbii. Granicę zamknięto, eksport ustał. Jagnięta są w tym roku wyjątkowo tanie, po siedemdziesiąt dinarów za kilo. Starczy osiemdziesiąt sztuk.

Fundacja odmówiła: – Wojna, katastrofa humanitarna, a Cyganom święta w głowie. Targ jagnięcy w Szutce – rząd ciężarówek, od których zalatuje sianem, baranki beczą, szczekają owczarki, dzieciaki pedałują w rikszach, pchają przyczepki, taczki, wózki, wymijają wehikuły z coca-colą. Przyszło chyba pół mahały.

Bajram Imerovski chce na tym skorzystać. Albańczycy stanęli z jagniętami naprzeciw „germańskich baraków", a Bajram mieszka w jednym z nich. Więc wyniósł z domu kilka krzeseł, kulawy stolik, kupił parę skrzynek piwa. Żona rozpaliła grill. Póki trwa targ, będzie kafana.

Bajram lubi, gdy się pieniądz kręci. Zwykle na jarmarku w Gostivarze sprzedaje ciuchy. Bogaci Cyganie przywożą je z Turcji, hurtem. Warto zainwestować 300 marek, a potem wyjąć drugie tyle. Chyba że policja złapie.

Bajram był z rodziną w Niemczech – dziewięć i pół roku. O takich jak on w mahale mówi się: azylant.

Cyganie, którzy w latach osiemdziesiątych trafili do Niemiec, wykonywali tam najprostsze prace, jak u siebie. Ale pierwszy raz w życiu dostali za to uczciwe pieniądze. Posłali dzieci do niemieckich szkół, chcieli wybudować domy, marzyli, by wejść do europejskiej klasy średniej. Ale po kilku latach niemieccy politycy oświadczyli: nasz kraj jest zbyt łagodny wobec imigrantów, trzeba opróżnić tę łódkę. Zaczęli od deportacji Cyganów: obawiali się ciemnoskórych.

Wówczas macedońscy Cyganie zorganizowali „marsz żebraków". Żebrali o swoje prawa. Kilkutysięczny tłum wyruszył spod katedry w Kolonii do Düsseldorfu. Szli dwanaście dni, w lutym 1990 roku. Neżdet Mustafa, burmistrz, był wtedy dziennikarzem. Nakręcił o nich film *Dom bez końca*.

Władze niemieckie zaczęły się kłócić, co dalej. Caritas z Essen wpadł na pomysł: nie przyjmujmy uchodźców, pomóżmy im w ich ojczyznach. Rządowi Północnej Nadrenii-Westfalii spodobała się ta propozycja. Żeby pozbyć się Cyganów, zaofiarował Belgradowi (a po rozpadzie Jugosławii – Skopie) mnóstwo marek. Imigrantom obiecano domy w Szutce, zatrudnienie i szkoły średnie dla dzieci. Część pieniędzy rząd macedoński przeznaczył na inne cele. Tylko domy powstały: „germańskie baraki". Mieszka w nich sto czternaście wyrzuconych z Niemiec rodzin. Żyją w nędzy, bo nie mają pracy. Zakazano im wracać do Nadrenii.

Bajram załatwił sobie wjazd, przez znajomości w ambasadzie. Prowadzi podwójne życie. Większą część roku jest w Duisburgu. Ma pozwolenie na pracę w fabryce: – Podoba mi się ten system. Widzą, że się obijasz, to cię wylewają. Ja się w Niemczech nie oszczędzam. Po dziesięciu godzinach w fabryce wkładam garnitur i do czwartej rano jestem kelnerem w dyskotece. Mam prawo jazdy, rozwożę jeszcze piwo w beczkach. Najciężej mi w ramadan. Nie wolno jeść od świtu do zachodu słońca, a ja w nocy pracuję. Bardzo uważam, żeby się po powrocie nie obeżreć. Bo potem idę do meczetu się kłaniać. Od tych ukłonów jedzenie pomieszałoby się w brzuchu i mógłbym się wyrzygać.

Bajram lubi mieszkać w Niemczech: – Tam ludzie mówią miłymi słowami, unikają nieszczęścia. Są cisi. Na przystanku może stać sto osób, a nie słychać hałasu. Tu tłuką popielniczki i szklanki do piwa.

Przed stolikiem Bajrama krzykliwy, podniecony tłum. Wiatr wznieca żółty kurz, unosi śmieci. Na ciężarówkach baranki zbijają się w stado. Bajram mówi łagodnie: – Erdelezi jest w duszy każdego Cygana. To piękny dzień, gdy tańczą konie.

Konie ostatni raz tańczyły dwadzieścia lat temu. Nieważne. Bajram ma teraz w duszy wszystkie zabite jagnięta, wszystkie zerwane gałązki, wszystkie świąteczne smaki i zapachy. Składają się w uparte trwanie, pomimo deportacji, katastrof i wojen. Bajram otwiera piwo zapalniczką: – Nie wiadomo, czy Rafet znowu będzie mistrzem. Jego jagnię ma krzywą nogę.

Jusuf Szaib nie znosi spotkań. Gdziekolwiek się pojawi, Cyganie wołają: – Dzień dobry, profesorze! (uczył kiedyś w szkole). W dowód szacunku podnoszą jego rękę do ust i do czoła. A potem wypytują. Czy w Indiach są Cyganie? Kiedy stamtąd wyszliśmy? Wierzymy w Mahometa. Czemu robimy pisanki na Wielkanoc?

Jusuf Szaib wie, że dziś tego nie uniknie. Bez pośpiechu jedzie przez miasto swoim inwalidzkim samochodem. Mija dzielnicę albańską i most.

Mury w hasłach. „Adolf Clinton", „Pedał Tony Blair", „Amerykanie do domu". Swastyki obok napisu NATO. Na placu Macedonia studenci rozstawili stół na bruku, zbierają podpisy na petycji przeciw nalotom.

Inwalidzki samochód Jusufa Szaiba wjeżdża do dzielnicy Vodno – najelegantszej w mieście, nomenklaturowej. Brakuje miejsc do parkowania, profesor na sztucznej nodze musi wspinać się pod górę. Na szczycie – cerkiew św. Jana Chrzciciela. W Wielkanoc schodzi się tu prawosławne Skopie. Płoną świece, śpiewają chóry, panuje liturgiczne dostojeństwo i powaga.

Dziś już z daleka słychać hałas. Każdy chce, by go przed cerkwią witała cygańska muzyka, więc piszczą zurły i bębnią topany. Muzykantom w podzięce nakleja się banknot na czoło. Jarmark: pistolety z plastiku, gumowe pająki, prażona kukurydza, kandyzowane czerwone jabłuszka, orzechy, ikony, bukiety z gałązek wierzbowych i wata na patyku.

Pachnie kawą. Na trawie pod cerkiewnym murem Cyganki rozścieliły dywany, rozsiadły się, kroją sałatkę wiosenną. Mężczyźni robią im zdjęcia. Wyżej – placyk przed drzwiami świątyni. Muzułmanki (te stare w szarawarach i fartuchach, młodsze modne) kupują cienkie, żółte świeczki, po jednej na każdą osobę z rodziny. Zapalają je. Jusuf Szaib idzie za nimi. Zatrzymują się przed każdą kolejną ikoną i dotykają jej, potem całują palce. Pod świętym, na podpórce, zostawiają datek. Obchodzą cerkiew od prawa do lewa, przeciwnie do ruchu wskazówek zegara. Na koniec stają przed ikonostasem. Wtedy wokół kobiety zbierają się dzieci. Oddają jej swoje świeczki. Matka składa je w płonący pęk, błogosławi rodzinę. Modli się.

Teraz jakaś niemłoda Cyganka patrzy w twarz Jana Chrzciciela i głośno woła: – Boże, uratuj nas. Chroń dzieci i zwierzęta. Spraw, żeby chorzy wyzdrowieli, strzeż wędrowców. Boże, modlę się. Niech skończą się naloty, niech cały świat będzie spokojny.

Do ikony nie wolno się obracać tyłem. Cyganie cofają się ostrożnie ku drzwiom, potem podchodzą do źródła. Woda wąskimi strumyczkami spływa z głazów. Trzeba nadstawić ręce i się nią obmyć. To oczyszczenie z grzechów. Dziewczyny zostawiają na głazach niteczkę, na szczęście. Młode kobiety lubią zaglądać do kaplicy wykutej w kamieniach. Przytulają się do Matki Boskiej. Wierzą, że to dobrze robi na brzemienność.

Po cerkiewnym podwórku przechadza się ksiądz, wita Cyganów. Te powitania się różnią, bo prawosławni całują go w rękę, a muzułmanie nie całują.

Jusuf Szaib nabiera wody do butelki. Nie wierzy, by dawała zdrowie, ale żona prosiła. Cały ten ceremoniał go złości. Świadczy o tym, że Cyganie są bezbożni.

– Dzień dobry, profesorze! – to znajomy z dziećmi. Zachęca Arabelę i Armanda, by skorzystali z okazji. Profesor wszystko im objaśni.

Arabela (bluzka nad pępek, obcisłe dżinsy, kowbojki): – Czemu Albańczycy z różnych krajów mają to samo wyznanie, a my nie?

Profesor: – Bo przyjmujemy religię otoczenia.

Arabela: – Mieszkamy w otoczeniu chrześcijańskim, a jesteśmy muzułmanami. Dlaczego?

Profesor: – Bo to nie jest zakazane.

Arabela: – Może i tak. Jak byłam z tatą w Bułgarii, to mi zakazał mówić po cygańsku. Tam na ulicy rozmawiali po turecku, Cyganie też.

Profesor: – Nie wyrażaj się Cygan. Mów Rom.

Armando, student wychowania fizycznego: – Jestem muzułmaninem, a chodzę do cerkwi.

Ojciec: – Ja wszędzie pójdę, taki jestem zabobonny.

Armando: – Jak mnie spytają o wyznanie, co powiedzieć?

Profesor: – Mów, że jesteś politeistą. To taki człowiek wielobożny. Byłem w Indiach, przekonałem się. Powinniśmy wrócić do korzeni, kiedyś wierzyliśmy w Ramę. Chrześcijaństwo i islam zostały później przyjęte.

Arabela: – Ale ja jestem muzułmanką, nie Hinduską.

Profesor: – Nie myl narodowości z wyznaniem.

Arabela wyciąga z torebki nintendo, bawi się. Jusuf Szaib schodzi do inwalidzkiego samochodu. Zauważa, że pod górą Vodno zbiera się coraz mniej

Cyganów. Kiedyś przyjeżdżali konno. Nie było gdzie rozłożyć koca. Dziewczyny nabierały lepkiej trawy i rzucały nią w chłopców, żeby się do nich kleili. Dorośli robili z gałęzi kołyski. Najpierw huśtały się dzieci. Szeptano wtedy: – Rośnij duża. Albo: – Bądź mocny jak drzewo. A kiedy na ostatku bujały się babcie, mówiono: – Żebyś była zdrowa, świeża.

Dawniej pod cerkwią Cyganie po raz pierwszy w roku pili mleko, jedli ser owczy i produkty z pola. Wcześniej nie było wolno. Młode cebulki, czosnek, pomidory i ogórki jeszcze rosły. To tak, jakby się je zabijało. Dziś mniej się tego przestrzega. Zdarzają się nawet tacy, którzy przed Erdelezi pieką jagnię.

Jusuf Szaib opuszcza eleganckie Vodno, jedzie za Wardar. W parkach, na skwerach, pod stacją benzynową, między blokami – baranki.

Kto dostanie macedońską flagę?

Słońce jeszcze nie zaszło, świeci nad drzewem figowym. Za chwilę Bóg dostanie *kurban* od Rafeta. Jagnię ma miękką sierść. Dzieci chcą się nim nacieszyć – wiedzą, że idzie na rzeź. Baranek z cierpliwością przyjmuje pieszczoty.

Podwórko pełne ludzi, orkiestra, rakija. Czarny, milczący Cygan wyjmuje rzeźnickie noże. Inny szykuje sznur. Sprawdza, czy gałąź jest mocna. Już.

Mężczyźni chwytają ofiarę. Uderzenie w bęben, dźwięk piszczałek. Jagnię leży na brzuchu. Milczy. Nie broni się przed uśmierceniem. Cygan podnosi mu głowę, otwiera gardło. Jagnię drży. Dzieci przyciskają je do ziemi. Na betonie czerwony strumień. Jagnięciu mętnieją oczy.

Koniec.

Orkiestra milknie. To chwila litości, trwogi. Ale milczący Cygan ją przerywa. Nacina skórę na nodze jagnięcia i wkłada w ten otwór pompkę. Baranek puchnie, ogromnieje. Dopiero teraz można rozpruć brzuch, wyjąć wnętrzności.

Rafet w białym garniturze spłukuje krew z podwórka. Jagnię wisi na gałęzi figowca głową w dół. Cygan ostrożnie ściąga z niego skórę, rzuca pod drzewo. Sięga po następny nóż, rzeźbi w tłuszczu ornamenty. Jego ruchy obserwuje sędzia. To on zadecyduje, kto będzie mistrzem, kto dostanie macedońską flagę. Rafet niepokoi się. Wie, że ten człowiek go nie lubi. Ale nie pora na zmartwienia. Bóg dostał *kurban*. Za to da rodzinie szczęście, zdrowie. Więc trzeba się cieszyć, tańczyć, pić, bawić.

Na wszystkich podwórkach to samo: parkany umajone wierzbowymi gałęziami, nagie jagnięta rozpięte na furtkach. Pochyłymi uliczkami Szutki płynie krew.

Czwartek. Stenkovac u podnóża gór, za którymi walczy Kosowo. Na niebie helikoptery. Lecą nisko, ledwo ponad szczytem. Z góry na pewno nie widać cierpienia, obóz uchodźców wygląda jak kemping. Od rana pada. Ludzie na dole ślizgają się w błocie. Idą po wodę, po chleb, do telefonu, do lekarza. Krążą z namiotu do namiotu. Tu wszystko jest pod namiotami. Powleczone impregnatem miasto z płótna.

Niektóre punkty zasilane prądem, z gniazdkami do komputera. Na monitorze wiadomości: NATO podsumowuje – zniszczono już 300 jugosłowiańskich obiektów lądowych, w tym 200 sztuk czołgów i ciężkiej artylerii. „Będziemy bombardować i cierpliwie czekać" – zapowiada rzecznik Sojuszu. W Petersbergu pod Bonn spotkanie mocarstw: opracowano wspólny pokojowy plan Zachodu i Rosji. Na kompromis nie zgadza się Wyzwoleńcza Armia Kosowa. Dziewiętnastoletnia Albanka z Uroszevaca informuje o zbiorowych gwałtach: »Czy są tu kobiety?« To były pierwsze słowa, jakie wypowiedzieli Serbowie".

Uchodźcy przy rejestracji podają narodowość i wyznanie. Pięćdziesiąt tysięcy nazwisk. Obozowe komputery twierdzą, że w Stenkovacu nie ma ani jednego Cygana. Nieprawda. Mieszkają blisko wejścia, na końcu ulicy, przecznica w prawo od głównej alei. Obok namiotu płonie ognisko. Zapraszają do środka: – Patrzcie, jak żyjemy. Pokazują rekwizyty koczowania: śpiwory, koce, materace, foliowe płachty, buty w mazi. Na słowo Rom sztywnieją: – To nieporozumienie. Jesteśmy Albań-czykami. Nienawidzimy Serbów. Nie uciekliśmy przed bombami, oni nas wypędzili. Będziemy wal-czyć o Kosowo. Musimy kończyć tę rozmowę. Proszę wyjść.

Wyznanie wiary. Każdy napotkany w Stenkovacu Cygan składa podobne. A Albańczycy: – Cyganie budowali z nami barykady przeciwko serbskiej ban-dzie. Znajdzie się dla nich miejsce w wolnym, demokratycznym Kosowie. Nie mówią o kradzio-nym, sprzedawanym drożej chlebie. Czy to znaczy, że nie pamiętają?

Lepiej odejść stąd, stanąć za bramą. Wzdłuż ogro-dzenia tłum. Ludzie z miasta ludziom z obozu podają ręce przez druty. Nagle spod nóg tej gromady wy-pełza człowiek. Prostuje się, niesie koc. To Cygan. Za nim idzie chłopak. W podwójnej siatce jest dziura.

– Czemu uciekłeś?

– Bo nie było życia przy Albańcach. Oni nie lubią Cyganów. Przeganiali mnie z kolejek. Ciągle byłem ostatni: po chleb, żeby zadzwonić, żeby stąd wyje-chać. Nie pozwalali dzieciom zadawać się z moim synem. Jeden Albaniec tak wyzwał chłopaka, aż mu dałem po gębie.

– Czemu się nie przyznałeś, że jesteś Cyganem, kiedy cię przyjmowali do obozu?

– Jak wysiadłem z autobusu w Stenkovacu, spotkałem Cygana. On mi tak poradził. Powiedział: nie wychylaj się. Bo tu tłumacze to Albańcy, przy komputerach Albańcy. Każdy popiera swego. Zobaczą w papierach: Cygan, to nie pozwolą wyjechać na Zachód. Chcę do Niemiec, ale już miałem dość tego obozu.

– Gdzie idziesz?

– Do znajomych w Szutce.

Południe. Wciąż się chmurzy. Wczoraj przed „germańskimi barakami" pachniało kawą i sianem, potrącały się taczki, wózki, riksze, mężczyźni grali w karty u Bajrama. Teraz pustki. Płoty umajone gałązkami od krańca do krańca. Jagnięta zdjęte. Cyganie wracają z cmentarza. Powoli i po cichu zaczyna się Erdelezi.

Kobiety rozpalają ogień. Będzie kąpiel. Do zwykłej wody trzeba dolać trochę wody z cerkwi, dosypać ziół. Dzieci pluszczą się w miednicach. Niektóre spały niespokojnie. Te, którym wczoraj ojciec zrobił plamkę z ciepłej krwi ofiarnego jagnięcia. W Giurgiovden ożywają złe i dobre moce. Do domu mogą wejść demony. Plamka na czole znaczy: ta rodzina nie jadła wcześniej mięsa. Nie trzeba zsyłać na nią śmierci i choroby. Dzieci pilnują plamki, śpią na plecach. Dziewczyny po kąpieli nacierają ciało czerwonym wielkanocnym jajkiem. Teraz można je zakopać.

Cyganki robią ucztę. Nadziewają jagnię wątróbką, siekaną cebulą i ryżem. Nim go upieką, włożą mu w nos wierzbową gałązkę. Jagnięce płuca, ugotowane, kroi się cienko jak liść, miesza z papryką i olejem. Trzeba koniecznie upiec pitę – ciasto z porem i słodką kajmaczinę. Wszystko to stanie na stole, przyjdą sąsiedzi, gospodarz rozleje rakiję. Uczta potrwa cztery dni, do dziewiątego maja. Na łące pod Cmentarzem Francuskim Cyganie wspólnie pożegnają Erdelezi.

Fikrie Fazli – mówią o niej Fiki – wychodzi z baraku „Nadzieja". To świetlica, na którą łoży fundacja Sorosa. Cygańskie dzieci są zdolne i chętne. Ćwiczą w grupach tanecznych, trenują piłkę nożną, rwą się do komputera. Fiki często powtarza z goryczą: – Pan Bóg dał im talent. Tylko po co?

Fiki wraca do domu. Nad mahałą charczy megafon, puszczają hity z byłej Jugosławii. Niedawno osiedlowa telewizja Szuto przeprowadziła ankietę. Zapytała Cyganów, co sądzą o marszałku Ticie. Odpowiedzieli: dobry człowiek, powinien wrócić do władzy. Na klepisku w pobliżu korso obwoźny lunapark. Samochodziki elektryczne, krzywe lustra, jaskinie gier, karuzela. Sukienki z falbankami, garniturki z muszką. Dzieci fruwają nad śmietnikiem.

Bóg dzielił dobra między ludzi. Mówił: ty będziesz królem, ty pasterzem, ty szlachcicem. Cygan przyszedł ostatni, bo spał. Bóg rzekł: ty spłodzisz dzieci, będziesz śpiewał, tańczył, pił i jadł. Dlaczego tylko to Bogu zostało?

Fiki często się nad tym zastanawia: – W Szutce są wszystkie wyznania, a każdy Cygan mówi: Bóg jest jeden. To jedyny w świecie lud, który chce tylko pokoju. Żadna wojna nie wybuchała przez Cygana. Nie chcemy walczyć, bo się boimy. Bo kochamy życie. Bo o co mamy się bić? Cygan nie wie, co to bój o ideę. Taka mentalność to błąd, przez nią nie mamy własnego państwa. Na świecie wszystko uzyskuje się przez walkę. Zazdrościmy Albańczykom: rozumieją to i przekazują swoim dzieciom. Albańczyków i Cyganów w tej wojnie spotkał ten sam los: zostali bez domu i ziemi. Lecz Albańczycy dostali materialną i moralną pomoc. Kto się martwi o Cyganów? Już się ściemniło. Fiki idzie w stronę korsa. Dudnią magnetofony i radia, a wystrojona Szutka tańczy na wyboistych ulicach. Za rogiem trąbka wyśpiewuje *Erdelezi* Bregovicia. Cyganki na tarasie wsłuchują się w rzewną melodię i płaczą. Po chwili trąbka zmienia rytm, taras ożywa: wirują nogi, głowy, ręce, chłopak wskakuje z dziewczyną na stół, rzucają za siebie talerze. Ekstaza, zapomnienie. W podzięce za tę chwilę Cyganka dzieli między muzykantów marki.

Rafet niby się bawi z gośćmi, niby skacze, a w sercu ma niepokój. Jak Szutka Szutką, zawsze on zwyciężał. To jemu za najlepsze jagnię wręczali flagę – dawniej jugosłowiańską, potem macedońską. Jak będzie teraz? Niebieskooka wnuczka parzy kawę, podaje cukier i łyżeczki.

Rafet pamięta, jak do jego domu weszła Barie. Miała trzynaście lat. Zobaczyła meble, tapety, dywany, spodobało się jej i została. Rafet szykował synowi wesele. Ale matka Barie nie chciała ślubu, przyjeżdżała po córkę z Kumanova. Rafet ukrywał dziewczynę. W weselny dzień, gdy już bawili się goście, matka Barie oświadczyła: zabiję się, oddajcie mi dziecko. Rafet zapytał: chcesz ją brać splamioną? A wiedział, że młodzi jeszcze tego nie zrobili. Wtedy matka: pokażcie mi pościel. Rafet się zgodził. Rozkazał młodym, żeby zrobili to w piwnicy. Czekał przy drzwiach na prześcieradło. Tak poczęła się Azbia. Rafet ma w sercu niepokój. Jego Azbia zerka na syna sąsiadów. To źle.

Przed dom Rafeta zajeżdża sędzia z wiadomością o werdykcie. Pod pachą niesie flagę.

Lipiec 1999 r.

Zwykły proszek

Cyganki piorą, krochmalą, prasują,
bo Cygan chce być elegancki.
Biała koszula, spodnie
w kant, nawet skarpetki
spod żelazka.
Niedawno w Sułkowicach
mąż oskarżył żonę,
że jego rzeczy pierze
w zwykłym proszku, a swoje
w specjalnym płynie.
Poszli do wójta.
Powiedział, że powinno być
odwrotnie.

SEN DO OBIADU, ZABAWA DO RANA

W „Strzelnicy" (piwiarnia w dole wioski) Cyganów nie obsługują. „U Vaszka" (w centrum koło poczty i szkoły) nie ma różnic. Restaurator Vaclav Hajas – łysiejący blondyn z brzuszkiem, rozumie, że tak trzeba, więc zaciska zęby. Ale żal mu czasów, gdy w jego gospodzie przy piwie zbierali się stali bywalcy: górnicy, agronomowie, sklepikarze, robotnicy z rafinerii. Dziś jest inaczej. Ten sam pozostał tylko rudy kundel – co dzień bywa „U Vaszka". Siada na krześle przy oknie, a potem ziewa i zwija się w kłębek.

Teraz restaurator patrzy przez okno: w stronę gospody zmierza dwóch cygańskich chłopców, duży z małym. Wyglądają zabawnie, dźwigają tapicerski fotel. Hajas mieszka tu ponad dwadzieścia lat. Dawniej, gdy podnosił wzrok znad kufli i beczek, widział, jak ulicą w białej bluzce z koronkowym kołnierzykiem idzie pani Vejrostkova (sprzedaje na poczcie znaczki). Jak młody i przystojny doktor Macku (pediatra) wita się z sympatyczną doktor Vojtkovą (internistka). Jak dyrektorka szkoły Baurova poskramia jasnowłose dzieci, które biegną w dół wsi, wymachują workami i wrzeszczą. Sami swoi. Teraz to już nie ten Beczow. Starych znajomych ubywa, biali uciekają przed Cyganami. Ale nie wszyscy mają dokąd. Są bezradni.

W Beczowie każdy biały rozumie, dlaczego w Usti nad Łabą (sąsiednie województwo) zbudowano mur. Tam ściana podzieliła ulicę. Miała ulżyć Czechom, bo na ulicy Maticznej źle im się mieszkało z Cyganami. – Niegłupi pomysł – ocenia restaurator. – Mur był zresztą całkiem ładny, z furtkami. Ale wtrąciły się media, po nich cygański tata z rządu, ten Petr Uhl. A potem prezydent ganił naród. Wreszcie Unia Europejska: że jak będziemy niegrzeczni, to nas nie przyjmą. Że Czesi to rasiści. Nieprawda. Ci cygańscy tatusiowie nie żyją z Cyganami w jednym bloku, jak my. Niech nas nie pouczają. To przez te ich nauki rośnie tu nienawiść.

Po kilku tygodniach wszyscy w Beczowie usłyszeli, że w Usti mur rozebrano.

Po wojnie wśród setek ocalałych Cyganów, którzy wrócili z nazistowskich obozów, byli Kowaczowie, Cibrikowie i Bażowie. W ich starych osadach na Słowacji wiatr, śnieg i deszcz zrobiły szkody. Musieli się odbudować.

Niektórzy Cyganie kopali ziemianki. Do dołu szerokiego na dwa metry i głębokiego na metr wbijali pal. To była konstrukcja. Na niej trzymał się dach z cienkich pni, wzmocniony gliną i błotem. Ściany wewnętrzne: gałęzie układane jedna na drugiej. Na dnie słoma, szmaty, kołdra – łóżko dla dziesięciu osób. Roztropni zastosowali wyższy kij, a boczne ścianki wyprowadzili 40 centymetrów ponad grunt. To półziemianka. Jej dach nie opierał się o ziemię. Bogatsi wznosili koliby. Rzut architektoniczny: prostokąt dwa na trzy metry, wyznaczony kołkami. Ściany z pni ułożonych na wcisk. Dach z blachy i tektury, podłoga z gliny i desek. Otwory: drzwi bez progu, okno z taflą szkła, dziura na dym.

Kowaczowie, Cibrikowie i Bażowie mieszkali lepiej. Zamiast gwoździa w pieńku – szafa, zamiast barłogu – aż dwa łóżka na rodzinę. Otwierane okno, komin z drewna. I druga izba – skarb, którego nie używali na co dzień. Ciasno było. Od wczesnej wiosny do późnej jesieni gotowali, jedli, prali poza domem.

Osada, w której żyli, leży za wsią, nad potokiem. Na Słowacji, za wsią, nad potokiem, jest trzysta podobnych osad. Słowacy wolą, gdy Cyganie trzymają się na odległość. Cyganom też w kupie bezpieczniej (tak myśleli po wojnie). Ale gdy nadchodziły roztopy, rodzina głodowała, bo kobiety nie mogły dojść do sklepu po chleb. A gdy dziecku zaszkodziła woda z potoku, nie było dla niego ratunku.

Starzy Cyganie uważali, że ich nieszczęściom zawinili gadzie. Obozy koncentracyjne, potem brak zajęcia, nędza, chłód, samotność – wszystko przez nich. Młodsi przyglądali się z daleka Słowakom, zazdrościli. Tymczasem w Czechach socjalistyczne fabryki prowadziły werbunek. Na północy górnicy podkopywali się pod historyczne miasto Most. W Litwinowie dymiły zakłady chemiczne. Wsie zmieniały się w robotnicze osady. Kowaczowie, Cibrikowie i Bażowie pożegnali rodziców. Wyruszyli.

Do bloku, w którym mieszka urzędniczka z poczty Helena Vejrostkova, trudno się dostać. Od czasu, gdy wieś opanowali Cyganie, drzwi na klatkę schodową są zamknięte. Lokatorzy korzystają z domofonu. Zdarzało się, że nocą ktoś (pewno Cygan) przyłożył w domofon kamieniem. Osłonięto go ciężką spawaną konstrukcją, w metalu wydrążono dziurki. Palec wciśnięty w dziurkę nie trafia wprost na guzik z numerem mieszkania. Trzeba wiedzieć, pod jakim kątem go zgiąć. Bo guzik jest ukryty albo nad dziurką, albo pod nią, po lewej albo po prawej stronie. Niewtajemniczony gość musi więc macać. Jeden wybierze macanie zgodnie z ruchem wskazówek zegara, inny – odwrotnie.

– Nie należy się uprzedzać do Cyganów – twierdzi pani Vejrostkova. – Czasem są lepsi niż Czesi. A takich mogłabym mieć za sąsiadów. Ale w starostwie leży petycja lokatorów, także z podpisem

Vejrostkovej. Żądają, by zwolnione właśnie mieszkanie w ich bloku przydzielić czeskiej rodzinie. Zapowiadają: nie wyrazimy zgody na Cygana.

Każdy blok we wsi ma własną nazwę, numer i opinię. Bloki cygańskie – dziewiątka – najbardziej zdewastowana, dziesiątka – najbrudniejsza i szóstka – ponoć Cyganie zaczynają tu sprzątać na klatce. Bloki mieszane – dwójka i trójka – całkiem dobre. Lokatorzy to Czesi. Jest kilka cygańskich rodzin, ale zachowują się normalnie. Czwórka i piątka – bloki białe – najlepsze. Vejrostkowie mieszkają pod czwórką.

Dawniej w Beczowie nie było żadnych bloków, tylko murowane domy. Lecz losy wsi związały się z losami niedalekiego Mostu. Miasto Most powstało w XI wieku. Ale po jego placach, zaułkach, alejach nie został ślad. Wszystkie zabytkowe kamienice wyburzono. Stało się to w roku 1975 – górnicy ostatecznie podkopali się pod historyczną część Mostu, poszły w ruch buldożery. Ocalał renesansowy kościół Wniebowzięcia Panny Marii, chociaż nikt się w nim nie modlił. Przesunięto go o 841 metrów w 646 godzin. Symbolizuje myśl techniczną miasta. W tym samym czasie państwo wykupiło od beczowian jednorodzinne domy i rozebrało je. Czechosłowacki świat pracy potrzebował dużo mieszkań. Wtedy we wsi stanęła wielka płyta.

Starosta Vaclav Turnovsky, młody i energiczny, siedzi w głębokim skórzanym fotelu. Choć ma z płytą sporo kłopotów, swoje wie: – Komuniści dobrze to wymyślili. Fabryka, bloki, szkoła obok siebie. Teraz Unia Europejska mówi o mikroregionach. Skupiać ludzi: przecież komunistom też o to chodziło.

Po „aksamitnej rewolucji" (1989) wyszło na jaw, że rafineria truje, wydobycie się nie opłaca, a wyburzenie historycznej części Mostu to był błąd. Fabryki zwalniały ludzi. Z Beczowa wyjechało sporo zwerbowanych dawniej robotników. Zostawili mieszkania. Należały do skarbu państwa. Republika ich nie chciała i pozbyła się bloków. Wykupił je prywatny przedsiębiorca z Cieplic. – Na nasze nieszczęście! – krzywi się starosta. – Ściągnął Cyganów ze swojego miasta. Po nich zjechali inni: z Pragi, z Ostrawy, z Karlowych Warów, z Brna. No i ci znani nam, z Chanowa.

Chanow: cygańskie getto trzy kilometry od Mostu. Bloki. Kilka zdewastowanych aż do żelbetowych szkieletów. W innych zamurowane okna, żeby nie płacić za szyby. Wokół świeżej cegły języki sadzy – ślady po pożarach. Na betonowych podwórkach zardzewiałe škody. Puszki po coca-coli. Dzieci jak bezpańskie psy. Kobiety w domu oglądają opery mydlane. W barze brodaci mężczyźni nad wódką.

Starosta: – Komuniści dali Cyganom to osiedle, jak wyburzyli stary Most. Żebyśmy byli równi. W środku mieli dywany i meble. Wyrywali umywalki i baterie. Wszystko posprzedawali, rozkradli. Człowiek ocenia Cyganów według własnych doświadczeń, a doświadczenia są złe.

Przed rokiem w Beczowie zmienił się samorząd lokalny. Turnovsky został starostą, restaurator Hajas radnym.

Turnovsky: – Mamy nadmierną koncentrację Cyganów. Pięciuset na dwa tysiące obywateli.

Hajas: – Cyganki rodzą dwa razy do roku. A przyrost naturalny Czechów spada. Bo biały jest odpowiedzialny. Nie płodzi dzieci, jeśli nie zapewni im przyszłości. Nasz pediatra doktor Macku leczy 700 dzieci. Tylko połowa to Czesi, chociaż jesteśmy większością.

Turnovsky: – Cyganie to problem polityczny. Po Usti we wszystkim mają pierwszeństwo. Nikt nie ośmieli się powiedzieć Cyganowi złego słowa, bo wezwie do pomocy dobrego wujaszka z Pragi i razem będą krzyczeć: dyskryminacja! Jaka dyskryminacja? Niedawno w zawodówce w Moście pokłócił się Cygan z białym. I na przerwie ten Cygan poszedł po kolesiów z miasta. Pobili białego chłopaka i nauczycielkę. Dyrektor szkoły opowiadał o tym w telewizji. Ale u nas w mediach nie wolno ujawniać, że sprawcą przestępstwa jest Cygan, więc kraj nie dowiedział się prawdy. Tylko nasze „Wiadomości Mosteckie" uczciwie podały, jak było.

Hajas: – W Beczowie, jeśli ktoś jest dyskryminowany, to na pewno nie oni.
Turnovsky: – Odkupiliśmy bloki od przedsiębiorcy z Cieplic. Teraz puste mieszkania wynajmujemy tylko białym.
Hajas: – Obniżyliśmy Cyganom czynsz. I jak nam się odwdzięczyli? Że nie płacą.

Na Słowacji kobiety od Kowaczów, Cibrików i Bażów nie nauczyły się piec ciasta. Za to, jak to Cyganki, miały swoje sposoby na kurę. Najpierw musiały ją zdobyć. Metoda pierwsza: na garść ziarna. Cyganka szła przez wieś. Gdy zobaczyła kurę, nie przystawała, tylko ukradkiem sypała za sobą pszenicę. Metoda druga: sznurek z przynętą zaczepioną na haczyku. To mogło być cokolwiek, na przykład ugnieciona z chleba kulka. Za zakrętem kurę dusiło się i chowało do kieszeni pod spódnicą.

Na Słowacji cygańskie kobiety gotowały w kociołku. Wiadomo, że najłatwiej przyrządzać w nim zupę. Jeśli się poszczęściło z kurą, pływały w niej kawałki mięsa. Rodzinę karmiły raz dziennie, jak już wszyscy porządnie zgłodnieli. Czasem nie gotowały nic. Jedzenia brakowało, zwłaszcza warzyw, mleka, mąki. Dla oszczędności dzieci po kilka lat ssały cyca.

Na Słowacji kobiety nie smarowały masłem kanapek do szkoły, nie ozdabiały tortów kremem, nie wlewały zasmażki do buraków z wczorajszego barszczu. Nie znały smaku takich potraw, a ich dzieci nie chodziły do szkoły. Mężczyznom od Kowaczów, Cibrików i Bażów spodobało się w Beczowie. Do fabryk wożono ich autobusem, mówiono proszę pana, mieli pieniądze. Dostali bloczki do przyzakładowych stołówek. Obiad z trzech dań, w poniedziałek co innego niż we wtorek. A przy niedzieli rzadka zupa z kociołka, bez przypraw. Bo kobiety nie polubiły czeskich kuchni na gaz albo prąd, piekarnik je przerażał. Chętnie rozpalały ognisko przed domem. Mężczyźni chcieli jeść. Smażony ser, surówka z czerwonej kapusty, knedliczki z sosem.

Tuż przy gospodzie „U Vaszka" pawilon handlowy (artykuły spożywczo-przemysłowe, pasmanteria). Prowadzi go Hana Vlczkova. Zamawia najprostsze towary: pieczywo, mąka, kawa, herbata, zeszyty, rajstopy. Wszystko musi być tanie. To przez bezrobocie. W Beczowie aż 39 procent ludzi nie ma pracy. Najwięcej w całej Republice! Pani Vlczkova zakłada jeden sweter pod fartuch, drugi na fartuch, bo chłodno. I grube skarpety. Włosy ma potargane, oczy podkrążone. – Ci Cyganie to katastrofa – mówi. – Dawno bym zwinęła ten interes, ale męczę się dla córki. Jak skończy urlop wychowawczy, to przejmie pawilon.

Teraz pani Vlczkovej handel idzie trochę gorzej: – Bo Cyganie jeżdżą do supermarketów w Moście. Dawniej wszyscy tu musieli przychodzić, pomoc społeczna dawała im talony na zakupy w moim sklepie. W Czechach Cyganom nie opłaca się pracować: – Biorą zasiłki na siebie i jeszcze po dwadzieścia tysięcy na dzieci. Tyle by nie zarobili – wylicza pani Vlczkova. – A za poród dostają cztery tysiące. Wiem, bo i córce tyle wypłacono. Dziecko to zysk dla Cygana.

– O której godzinie zbudowali im w Usti tę ścianę? – pyta znacząco restaurator Hajas.

– O szóstej rano, żeby nie zauważyli. Bo oni śpią do obiadu. Nawet nie wiedzą, czy dzieci były w szkole. Starostę też to złości: – Za komunistów takim, co nie kształcili dzieci, zabierało się zasiłki. Ale w naszej Czeskiej Republice władza strachliwa. Cyganie podniosą krzyk i będzie afera.

Gdy wszyscy Cyganie zaopatrywali się u pani Vlczkovej, spostrzegła, że nie potrafią używać pieniędzy: – Wszystko przepuszczają po wypłacie, cały zasiłek. Nie myślą, co będzie jutro. Żyją z dnia na dzień, a potem im brakuje. Żadnej odpowiedzialności! Mąż pani Vlczkovej ma o tym wyrobione zdanie: – Wcale Cyganów nie żałuję! Bo kiedy Cygan nie ma forsy, to idzie z dziećmi do urzędu i mówi: dajcie albo wam dzieci zostawię. I mu dają. A Czech, nim coś dostanie, musi wypełnić sto papierków i na sto pytań odpowiedzieć. W prywatne życie mu włażą. Więc mąż się wkurza i ma rację. Radny Hajas też się złości: – Od przedsiębiorcy z Cieplic wykupiliśmy mieszkania z długami lokatorów. Chcieliśmy zmusić Cyganów, żeby wyrównali zaległości: odcięliśmy im ciepło. To zaczęli się grzać piecykami na prąd. Dostali straszne rachunki – po sześć tysięcy. A czynsz łącznie z ogrzewaniem to tylko dwa tysiące. Teraz spłacają elektryczność, więc już im nie starcza na najem. Pasożytują, utrzymujemy ich z naszych podatków.

Pani Vlczkova sprzedawała Cyganom na kreskę, gdy musieli kupować u niej. Po tym, jak pomoc społeczna zmieniła przepis, niektórzy nie oddali długu: – Sporo wtedy straciłam, ale trudno. Najgorzej, że są włamania. To się dawniej u nas nie zdarzało. W drogerii założyli alarm, w odzieżowym kraty. Mnie na to nie stać. Zlikwidowałam część okien, bo witryny są drogie. Kupię nowe, to znów mi stłuką. Oboje z mężem śpimy w sklepie, pilnujemy. Ale jaki to sen? Co za życie? Dawniej w Beczowie nie było narkotyków: – W zeszłym roku wszedł tu młody chłopak, wziął do koszyka pięć tubek farby do włosów, nie zapłacił, i do drzwi. Naćpany był, nie wiedział, co robi. Czech, ale narkotyki przywlekli Cyganie.

– Cyganie z Pragi – uzupełnia Vaclav Hajas.
– Wciągnęli w to nasze dzieci. Myśmy się nie

orientowali. Dopiero jak zaczęli dawać sobie w żyłę na bezczelnego – o tu, na tych ławkach przed gospodą – to wkroczyła policja.

Starosta: – Sąsiad trzyma w ogrodzie kocioł z olejem opałowym, bardzo drogi. Gdy przybyli Cyganie, wykosztował się i postawił murowany płot na dwa metry. Bo oni włóczą się po wsi, wypatrują, co ukraść. Musiałem wzmocnić posterunek. Funkcjonariuszy było dwóch, jest sześciu. I same cygańskie przypadki mają.

Komisariat: stare biurko, maszyna do pisania, szafa pancerna, kalendarz z rozebranymi dziewczynami. Komendant Jirzi Hnatek wyglądałby groźnie w czarnym mundurze, lecz na kolana wdrapuje mu się szczeniak, spaniel. Policjant zamyka psa w pokoju obok, bo to wygląda niepoważnie. Zaczyna opowiadać: – Jak Cyganie biorą zasiłki, dwa razy na miesiąc, to mamy okrutną służbę. Przed ósmą rano są na poczcie, podejmują pieniądze i do sklepu. A zaraz potem do gospody. Piwo, automaty do gry, flipery – bawmy się! Jak wychodzą, to wrzeszczą. Prosimy: bądźcie ciszej. Ale to na dwie minuty starcza, oni nie potrafią cicho mówić. Do domu wracają ze śpiewem, całą gromadą. Wtedy tylko patrzymy, nie zatrzymujemy. Bo my, Czesi, unikamy konfrontacji. Wkraczamy z patrolem cztery, pięć razy w ciągu nocy – ale później, jak już Cyganie balują w mieszkaniach. Radio na cały regulator, śpiewy, tańce, alkohol, awantury. Taka ich zabawa!

Do Cyganów z Beczowa przyjeżdżali inni: z Mostu, z Chanowa, z Obernic. Załatwiali jakieś ciemne interesy. Jednak komendant Hnatek i policjanci z Mostu powstrzymali falę cygańskich przestępstw: kradzież samochodów spadła, Cyganie używają prawa jazdy, narkomani nie dają sobie w żyłę tuż pod gospodą. Komendant zagląda do raportów, liczy wykroczenia: – Od marca do dziś trzydzieści sześć, z czego Cyganie... Raz, dwa... Dziewięć.

Czyli dwadzieścia pięć procent. A w Beczowie Cyganie stanowią dwadzieścia pięć procent mieszkańców. Skoro tak, nie są większymi przestępcami od Czechów. Komendant się z tym nie zgadza: – A upomnienia za zakłócanie porządku publicznego? Tego nie zapisujemy. Cyganie bawią się jak Kubańczycy. Zakłócają – to najgorzej nam życie uprzykrza. Póki dzieci siedzą w szkole, jeszcze da się wytrzymać. Jak wracają, to koniec. U nich dzieci po dwudziestej drugiej biegają bez opieki pod blokiem. Wygrzebują połamane zabawki ze śmietników. Jak zwracam rodzicom uwagę, mówią: odczep się, nie twoja sprawa. Ostatnio cygański chłopak, dziewięciolatek, w samochodzie pana Bajera stłukł kamieniem szybę. Powinna za to odpowiadać matka. Powinna! Tylko co z tego? Pan

Bajer uderzył dziecko, żeby była jakaś kara. A matka zaprowadziła chłopaka do lekarza. Bo jemu chyba coś jest, głowa go boli. Więc pan Bajer nie tylko zapłacił za szybę, ale jeszcze będzie miał kłopoty z sądem.

Odkąd w Beczowie zalęgli się Cyganie, wszystko źle. W telewizji prezydent Havel mówi swoje: obywatele Czech są równi, nikogo nie wolno tu dyskryminować. Zdenerwowało to panią Vlczkovą. Wieczorem, gdy stróżowała w sklepie, wzięła długopis i kartkę. List na Hrad: „Szanowny Panie Prezydencie! Pan chyba nie wie, co mówi. Cyganie to katastrofa. Zapraszam Pana do Beczowa na jedną noc, wraz z małżonką".

W Czechach kobiety od Kowaczów, Cibrików i Bażów sprawiły sobie białe biustonosze. Na Słowacji nie używały bielizny, ubrania były drogie. Dzieci dziedziczyły po dorosłych. Latem biegały boso, zimą w za wielkich butach. Często brudne, bo w osadach za wsią, bez prądu, wody i kanalizacji ciężko prać. Często obdarte – brudnego nie warto cerować.

Na Słowacji, jak Cygan kupił koszulę, to w niej chodził na okrągło, aż całkiem się rozpadła. Dlatego tak mało cygańskich strojów w muzeach.

W Czechach Cyganie dostali ubrania robocze, to był początek. Wkrótce odkryli piżamy, kalesony, garnitury, lakierki, krawaty, kapcie i szlafroki. Zauważyli, że Czesi co innego noszą w dzień powszedni, a co innego od święta.

Złościli się na żony: nie zakładały dzieciom majtek. Krzyczeli: zrozum, tu się nie chodzi z gołą pupą! Tu się nie kuca byle gdzie! Uciekliśmy z koliby, więc nie żyjmy jak w kolibie, mamy łazienkę. Kobiety uległy mężom, bo u Cyganów tak już jest. I z czasem zrozumiały, że to mężczyźni mieli rację. Wszyscy trochę tęsknili. – Gottwald zabrał nam nasze cymbały – oskarżali Cyganie prezydenta Czechosłowacji. Kobiety szeptały przy kuchennym stole: – Biedna Czonka, umarła w łóżku, przed śmiercią nie położyli jej na trawie.

Na Słowacji stare Cyganki umiały pomóc miłości. Doradzały: żeby chłopak pokochał, umyj w wodzie całe ciało, ugotuj na tym zupę, daj mu zjeść. Do miski wrzuć kawałek skóry z palca u nogi, brud zza paznokcia, osad z zęba – koniecznie w poniedziałek rano.

W Beczowie kobiety kazały dzieciom się uczyć, mówiły z nimi wyłącznie po czesku. Nigdy nie wyjawiały córkom cygańskich sekretów. Niczego nie opowiadały. Mijał czas i nadal tylko te trzy cygańskie rodziny mieszkały we wsi. Nawet gdy umierał stary Most, nie sprowadził się tu żaden Cygan. A było ich w mieście wielu. Przybyli po 1959 roku, gdy władza ostatecznie zakazała wędrowania. Różni to byli ludzie. Niektórzy podobni do Czechów, większość nie. Dziesięć lat później (1969) Czesi tak wypowiadali się o nich w ankiecie: „Dla Cyganów, którzy bezprawnie korzystają z dobrodziejstw socjalizmu, należy stworzyć specjalny rezerwat. Powinni tam przebywać pod strażą" (robotnica, lat 37). „Wychowanie Cyganów udało nam się w niewielu wypadkach. Tych dobrych powinno się zostawić między ludźmi. A tych, którzy nie chcą przyzwoicie żyć i pracować, trzeba przenieść do odległych części miasta" (urzędnik, lat 41).

Tak właśnie planowano w Moście. Rok przed zburzeniem kamienic władze przeprowadziły ocenę Cyganów. Niewychowani mieli trafić na peryferie, do parterowych domów o niskim standardzie. A wychowani między obywateli, do bloków – także tych z wielkiej płyty w Beczowie. Ale nic nie wyszło z tych zamiarów. Cyganie – wszyscy bez różnicy – zamieszkali w getcie, w Chanowie. A Beczow był czysty, cichy, bezpieczny. W tej pięknej wsi dzieci Kowaczów, Cibrików i Bażów dorosły. Mają już własne dzieci, czasem nawet wnuki. Między Czechami dobrze im się żyło. Aż nagle z Pragi, z Ostrawy, z Brna, zewsząd przygnało pięciuset Cyganów. Syf, hałas i złodziejstwo: buty przed drzwiami strach zostawić.

Rok po tym, jak do Beczowa zjechali nowi Cyganie, Vlasta Kotasova zaniosła córeczkę do babci. Sama wybrała się do Mostu po pieluchy. Nim wróciła, starsze dzieci skończyły lekcje. Padało. Nie miały klucza, więc schroniły się na klatce dobrego bloku numer dwa. Głosy zza drzwi zdenerwowały sąsiadkę: wyrzuciła dzieci na deszcz.

– Poszłam do niej, bo nie zachowała się w porządku – opowiada Vlasta. – Chciałam załatwić to grzecznie. Usłyszałam: ty brudna Cyganko, za dużo sobie pozwalasz! Jakby mnie uderzyła. I to kto? Pani Novakova! Przecież zna mnie od dziecka, wie, że nie jestem brudna. Tak sobie w pierwszej chwili pomyślałam.

Kiedy Dana Trziszkova (siostra Vlasty) straciła pracę w fabryce, przyjęła dozorcostwo. W dobrym bloku numer cztery był zwyczaj, że lokatorzy po kolei myją schody. Tylko pani Tobiaszova unikała dyżurów. Rok po tym, jak nowi Cyganie zjechali, Dana zwróciła jej uwagę: – A Czeszka w krzyk. Sama sobie sprzątaj, ty czarna brudasko. W Beczowie nikt nigdy mnie tak nie wyzywał.

Mniej więcej w tym samym czasie Lydie Blażkova (trzecia z sióstr) otworzyła drzwi płaczącej córce. W szkole na sprawdzianie pani od niemieckiego nie pozwoliła Cyganom korzystać ze słownika, a czeskim dzieciom pozwoliła. Dziewczynkę pierwszy raz dotknęła niesprawiedliwość.

Siostry wywodzą się z rodziny Cibrików – pierwszych cygańskich osiedleńców we wsi. Każda jest trochę inna. Vlasta – bezpośrednia, pewna siebie.

Jej mąż Josef Kotas długie lata był kelnerem. Kiedy po rewolucji stracił pracę, pojechał do Niemiec. Dał do tamtejszej prasy ogłoszenie: zbędne wyposażenie mieszkań niedrogo kupię lub przyjmę za darmo. Podał numer telefonu w Czechach. Pierwszy komplet niemieckich mebli wypoczynkowych sprzedał lekarce z Litwinowa. A potem poszło, z tego żyją. Mieszkają z matką Kotasa, mają troje dzieci.

Kilkanaście lat temu spokojna, skromna Dana w pociągu do Loun, o piątej rano, zakochała się w innym Josefie. Jechali wtedy do pracy w przetwórni. Oboje nadal są robotnikami. Dwie córki, syn. Rodzice Josefa zaakceptowali małżeństwo z Cyganką, gdy urodziły im się wnuki.

Lydie – ta ma najwięcej energii w rodzinie. Nosi okulary w różowej oprawce, lubi wzorzyste sukienki. Bardzo tęga. Kiedy siada, nie opiera rąk o stół, tylko układa je na brzuchu. Wyszła za czeskiego jubilera. Blażkowie wzięli na wychowanie trójkę Cyganów z sierocińca.

Była jeszcze jedna siostra – niezamężna Ana. Zmarła po tym, jak przy dworcu w Moście skini odbili jej nerki.

Cyganie, którzy ostatnio przyjechali do Beczowa, nie byli troskliwymi rodzicami. Lydie przed ślubem skończyła kurs dla świetliczanek. Zastanawiała się, czy może coś zrobić dla ich dzieci. Najbardziej niepokoiła ją szkoła. Zauważyła, że nauczyciele pozbywają się Cyganów – kierują ich do klas specjalnych. W tutejszej podstawówce są tylko dwa takie oddziały, dla najmłodszych. Starsi uczniowie muszą dojeżdżać do Mostu. Każde cygańskie dziecko wie, że w Moście biją. Każde widziało to na własne oczy. Nie ma rodziny, która by nie opatrywała pobitego. Więc dzieci Mostu się boją. Matki oddychają z ulgą, gdy syn wagaruje.

Lydie spostrzegła jeszcze jedno. Skierowanie do szkoły dla upośledzonych nie zależy od ucznia. Może być bystry, też go ześlą: dlatego że rodzice mają złą opinię, albo dlatego, że starsza siostra lub brat przysporzyli nauczycielom kłopotu. Bo uczeń klasy pierwszej nie chodził wcześniej do zerówki i trzeba mu poświęcić więcej czasu.

Rodzina Cibrików zawsze trzymała z Bażami. Teraz przewodzi im Ernest: poważny, odpowiedzialny. Właśnie do niego w sprawie cygańskich dzieci zwróciła się Lydie Blażkova.

Ernest Bażo należał do ROI. Taki ruch – Romska Obywatelska Inicjatywa. Okazało się, że niezbyt mu odpowiada ten kierunek: za bardzo polityczny. Dla niego liczył się Beczow. Często zastanawiał się nad wsią. Bolał, że nie jest jak dawniej. Wieczorem pijani Czesi stają przed cygańskimi blokami, wrzeszczą: rozdeptać czarne pluskwy, spalić, zabić. Zawsze byli w wiosce tacy, co sympatyzują ze skinami. Ale nigdy tak wielu znajomych nie patrzyło na Cygana z pogardą. Teraz niejeden Czech odsuwa się na odległość metra, gdy rozmawia z Cyganem. Manifestuje, że się brzydzi. Trudno się w tym uczciwie zachować. Bronić swoich? Są nieznośni, aż czasem wstyd przed białymi. Odciąć się od nich? Współczuć, że nie umieją żyć normalnie? Cyganie mają zakaz wstępu do baru „Strzelnica". Dlaczego? Bo po piwie zniszczyli flipery.

Czechom przeszkadza zabawa do świtu, rano muszą wstać do pracy. Ci nowi tego nie wiedzą? Do tych pytań Lydie Blażkova dodała kolejne. Co się stanie, gdy biali stąd pouciekają? Czy Cyganie zdewastują bloki do żelbetowych szkieletów jak w Chanowie? Czy we wsi wybuchną pożary? Czy w oknach będą cegły zamiast szyb? Co zrobić, by uchronić przed tym Beczow?

Młody i energiczny starosta Turnovsky: – Rodziny pierwszych osiedleńców nigdy nie sprawiały nam kłopotu. Oni są jak Czesi. Dlatego poparłem pomysł ze stowarzyszeniem, nawet się ucieszyłem. Musimy się dogadać, bo Cyganie stąd nie wyjadą.

Vaclav Hajas, łysiejący radny: – Ja też uznałem, że warto im wyjść naprzeciw. Bo jednak musimy się znosić.

Stowarzyszenie Laczo Drom (po cygańsku: Dobra Droga) ma już prawie dwa lata. Przewodniczący: Bażo. Wiceprzewodnicząca: Blażkova. Zarząd: Kotasova, Kotas, inni krewni. Zapisało się sporo

Cyganów, którzy mieszkają we wsi od niedawna. Jest też biała nauczycielka. Do Bażów i Cibrików nie dołączyli Kowaczowie. Dzieci cygańskich pionierów ze Słowacji mówią nowym dzień dobry, ale trzymają się na dystans.

Bażo: – Nie tylko białych wina, że na Maticznej stanęła ta ściana. Dużo zależy od nas. Dlatego ci Cyganie, którzy potrafią żyć z białymi, muszą jak misjonarze służyć słabszym. A zdarza się, że mówią: moja chata z kraja. Czechami chcą być? I tak nie będą.

Pierwszy projekt Laczo Drom: zatrudnienie cygańskich sprzątaczek (jest ich dziesięć, płaci urząd pracy). Vlasta Kotasova: – Wybraliśmy górną część wioski, bo więcej tu Cyganów. Butelki i papiery zawsze rzucali byle gdzie. Odpadki z wiadra wysypywali obok kontenerów. Na każdym rogu smród, gnijące hałdy. Kiedy to pierwszy raz wysprzątałyśmy, śmieciarze z przedsiębiorstwa oczyszczania oniemieli. Przedtem oni musieli się w tym grzebać. Dzieciom mówimy, żeby nie myszkowały w pojemnikach. Jak coś rozsypią, muszą zebrać. To działa. Dorośli też przywykli do czystego, nawet im miło. Lokatorzy spod szóstki z własnej woli zrobili porządek w bloku.

Starosta: – Moje sprzątaczki zamiatają w dole wioski. Cyganki ze stowarzyszenia konkurują z nimi, więc ładnie to wyszło. Laczo Drom wziął na siebie duży obowiązek. Pewno myśleli, że pójdzie im łatwiej. Musieli się rozczarować. Bo u Cyganów ani pracy, ani szkoły, ani odpowiedzialności. Chcą być jak biali, a nic w tym celu nie robią.

Projekt drugi: ochrona (finansuje starosta). Co noc umundurowani Cyganie patrolują górną część wioski.

Ernest Bażo: – Dogadaliśmy się z nowymi, że po dwudziestej drugiej dzieci mają być w domu. Te młodsze da się upilnować, gorzej z wyrostkami. Jak nam pyskują, to po powrocie dostają w łeb od rodziców. Zwracamy Cyganom uwagę, żeby nie bawili się za głośno, ale bez przesady. Czesi to mruki, a czasem trzeba zaszaleć. Jak ktoś zdrowo rozrabia, to dajemy znać na policję. Z początku Cyganie byli na nas o to wściekli. Mówili: donosiciele, zdrajcy, kable. Bo oni przyjechali z dużych miast, tam są skini. Myśleli, że jak w Beczowie skinów nie ma, to mogą robić, co chcą. Bywało z nimi niebezpiecznie na patrolach. Ale ci nowi wcale nie są tacy źli, tylko trzeba umieć do nich podejść. Teraz sami zgłaszają do nas skargi. Cieszą się, że jest komu. I złodziejstwa już takiego nie ma. Zawsze na Cyganów się zwalało, chociaż nie tylko oni kradli.

Starosta: – Wymyślili tę ochronę, przeszli kurs. Zanim pierwszy patrol ruszył na ulice, objaśniłem: jesteście po to, żeby mieć oko na własną społeczność. A oni się obruszyli: to nie wolno nam upomnieć Czecha? Odpowiedziałem: swoich lepiej znacie. Niech Cygan gani Cygana.

Projekt Laczo Drom na rok 2000: klub dziecięcy (pomoże urząd wojewódzki i studenci psychologii z Mostu). Lydie Blażkova: – Rodzicom szkoda pieniędzy na przedszkole, a potem są kłopoty w pierwszej klasie. Klub robimy po to, żeby uchronić dzieci przed szkołą specjalną. Dyrektor podstawówki Milada Baurova: – Nim uczeń trafi do klasy specjalnej, badają go w poradni. Za zgodą rodziców! Bez uprzedzeń! Szkoła musi mieć zasady, tu nie ma miejsca na rasizm. Ja nawet nie wiem, ilu uczniów jest Romami, bo nie chcę definiować, kto Rom, a kto nie Rom. Za to wśród Romów panuje histeria wokół szkolnictwa specjalnego. Pewien ojciec powiedział nawet, że to romskie getto. Rzeczywiście, u nas w klasie specjalnej jest tylko jedna Czeszka, mała Szarka. Ale przecież tak wynikło z badań.

Kolejny projekt Laczo Drom: wspólne zabawy Cyganów i Czechów „U Vaszka".

Radny Hajas: – Wymyślili bal na mięsopust. Nie byłem zachwycony, ale chciałem Cyganom podać rękę. Kotas: – Czesi myśleli, że się będziemy bić. Nic z tego! Na sali dwieście osób, muzyka, tańce, żadnego incydentu. Świetnie było. Ale tylko jedna czeska rodzina przyszła, bo ich córka ma chłopaka Cygana.

Radny Hajas: – Jako tako ta zabawa im się udała, na granicy. A potem gmina urządziła kulturalny bal. Zaprosiliśmy Cyganów: razem żyjemy, więc bawmy się razem. Nie przyszli.

Kotas: – Na powitanie wiosny znów impreza. Jak się skończyła, Hajas zapowiedział, że więcej nam gospody nie wynajmie. Szukał pretekstu. Twierdził, że jeden stół był rozwalony. „U Vaszka" stołów kilkadziesiąt lat nikt nie naprawiał. Powiedziałem, że je wyremontujemy i położymy nowy lakier, bez pieniędzy. A on, że nie potrzeba.

Restaurator Hajas: – Ta zabawa to był skandal. Sala na dwieście osób, a ze czterystu Cyganów się wepchało. I to jacy! Żadnej biedy: koszule, marynarki, kieszenie powypychane. Chyba mieli pistolety. To cygański gang z Cieplic, sutenerzy.

Kotas: – Nie mogę kontrolować, co kto ma pod marynarką. Prosiliśmy Hajasa, żeby wpuścił tylu gości, ile ma miejsc. I żeby drzwi zamknął. Chcieliśmy stać na zewnątrz, wprowadzać tych, za których możemy ręczyć. A Hajas na to: jak więcej ludzi wejdzie, to zarobek większy.

Hajas: – Majątku nie zniszczyli. Trochę rozbitego szkła wbiło się w podłogę, stół połamali. Ale jaka atmosfera! Strach było tych Cyganów obsługiwać. Zapowiedziałem, że na cygańską imprezę już nigdy sali nie wynajmę. W naszej gazecie ogłosili mnie za to rasistą.

Vlasta Kotasova: – W Beczowie nikt się nie przyzna do rasizmu, nie wypada. Ale on jest. Czuję to, chociaż nie potrafię nazwać.

Hajas: – Poprzedni samorząd nigdy nie zezwolił na cygańską zabawę. My zgodziliśmy się. I co? Znów mówią o dyskryminacji.

Starosta: – Wczoraj w telewizji pokazano Cyganów, którzy starają się o azyl w Anglii. Oskarżali nas o szykany. Tylko szkodzą Republice.

Blażkova: – Co ci biali sobie myślą? Że jak oni są biali, to czarnemu już nic powiedzieć nie wolno?

Kotas: – W Moście do dyskoteki, do lepszej restauracji, do salonu gier nie wpuszczą mnie bez znajomego białego. Taki mur niewidzialny.

Kotasova: – On jest i w Beczowie. To mur w myślach.

Hajas: – Nie wynajmę Cyganom gospody. Mogą obiecywać, że będzie porządek. Co z tego?

Kotasova: – Myśmy się zawsze tak starali, tak bardzo chcieliśmy być lepsi. Dziś wątpię, czy to miało sens. Bo cokolwiek byśmy zrobili i tak pozostaniemy tylko brudnymi Cyganami. Urodziłam się tu, a czasem myślę: to naprawdę moja wieś, mój kraj?

Dyrektorka szkoły Baurova: – Jeszcze nasz Beczow będzie wzorem, jak pięknie można żyć razem. Dopasujemy się. Romowie zrozumieją, że mamy rację z tymi szkołami specjalnymi.

Hajas: – Nie wynajmę, nie ma wyjścia.

Styczeń 2000 r.

Kura

Phabuj długo rozmyślała,
jak przyjąć niezwykłego gościa.
Był nim Leopold
– wielki kompozytor i artysta,
Polak żydowskiego pochodzenia.
To on kierował słynnym w całej Europie
cygańskim zespołem,
w którym śpiewał i tańczył syn Phabuj.
Cyganie kochali Leopolda
i nazywali wujkiem,
przez szacunek.
Młodsi na powitanie musieli całować go
w rękę. Phabuj podjęła decyzję.
Wieczorem po koncercie
wuj Leopold usiadł
przy suto zastawionym stole.
Cyganka pilnie mu się przyglądała.
Kiedy sięgnął po kurę, szepnęła:
– Wiesz, wujku,
nie kupowałam tej kury.
Ja ją dla ciebie ukradłam. Smaczna?

ROMSKA KRAINA JEJ KRÓLEWSKIEJ MOŚCI

Szósta nad ranem, ale w porcie sporo ludzi. Są Francuzi, Niemcy, Anglicy, Hiszpanie. Są przybysze o egzotycznych, ciemnych twarzach. Zeszli z promu, który przypłynął tu z Calais. Witamy w Dover! Poznajcie tajemnice klifu! Jak w takim tłumie rozpoznać Cyganów? Ze Słowacji, z Czech. Po karnacji? Łatwo pomylić Cygana z Turkiem, Bułgarem, Hindusem. Po kwiecistej spódnicy? Mogą nosić inne. Po szerokim krawacie i dziurkowanych butach z wydłużonym noskiem? To za mało. Po czeskim i słowackim? A jeśli mówią po cygańsku? Jak odróżnić cygański od innych języków rozbrzmiewających w portowej hali?

Patrzcie uważnie. Widzicie rodzinę. Zmierza ku drzwiom, za którymi urzęduje angielski Immigration Officer. Najpierw idzie mężczyzna. Kobieta kilka kroków za nim. Wreszcie dzieci. Cyganie. To wynikałoby z szyku.

Dorośli umęczeni, z tobołkami. A dzieciaki wesołe. Włosy jak czarna kawa, oczy też. Patrzą bez nieśmiałości, z zainteresowaniem. I hałasu jest dużo. I zabawa. I ruch jest. Podskakiwanie nóg w za krótkich niebieskich spodenkach: w przód, w tył, w prawo i w lewo. To sprawia, że droga do drzwi staje się ciekawa, kręta.

Cyganie całe wieki byli w drodze. Dobrze ją znają. Kto chce rozpoznać ich w tłumie, powinien o tym pamiętać.

Nagle płacz, krzyk. Dzieci rozdokazywały się za bardzo. Ale rodzice nie okazali im gniewu. Odstawili tobołki, wzięli na ręce, przytulili. Tak, to Cyganie.

Zniknęli za drzwiami.

Badzio (takie cygańskie przezwisko) wyjechał z domu w niedzielę wieczorem. To na nich spadło nagle. Było tak: czwartek, dzieciaki na podwórku, a Badzio w swoich Michałowcach grzeje się przy piecu, ogląda film. Wchodzi Ilona: – Julius, Stefan, Tezider, Holub z Holubovą... Wszyscy są w Anglii. Tam ich dzieci żyją jak królowie. Tam nie piszą na murach „Cyganie do gazu". Badzio! Moja siostra Vlasta też tam jedzie!

Wszystko przez Josefa Klimę z czeskiej prywatnej telewizji NOVA, odbieranej także na Słowacji. Klima nakręcił reportaż „Cyganie jadą do nieba". W zeszłym roku pod sam koniec września pokazał, jak – Ladislav Szczuka – murarz z Koszyc i jego rodzina żyją w Dover. Z programu wynikało, że Anglia to raj dla Cyganów.

Jak w telewizji NOVA coś powiedzą, to dla sąsiadów Badzia prawie święte. Wcześniej – w sierpniu w 1996 roku – reporter Klima opowiadał o Kanadzie też to samo. Że wiz już nie ma dla obywateli Czech. Cyganów tam lubią. Łatwo o azyl, pracę i mieszkanie. Po tym programie dużo znajomych Badzia wyjechało. Brakowało biletów lotniczych, musieli je zamawiać na kilka miesięcy naprzód. Ludzie wyprzedawali, co kto miał. A Cyganie z Ostrawy napisali petycję do starościny ze swojej dzielnicy, żeby im dała zapomogę na samolot. Nawet była chętna. Już w dwa tygodnie po programie o azyl w Kanadzie poprosiło czterystu Cyganów. I jeszcze by prosili, ale Kanada od razu przywróciła wizy. Dobrze, że chociaż tamtym się udało. Wniosek: jak masz coś zrobić, rób to szybko.

Badzio wstał spod pieca: – Wychodzę sprzedać motor, będziemy mieli na przejazd. Długo się nie pakowali. Rzeczy wzięli ze sobą tyle, ile zwykle, gdy wybierali się do ciotki do Toporca. Klucz zostawili u teściowej. Sąsiadów poprosili: nikomu ani słowa, po co Słowacy mają wiedzieć. Do Bratysławy tłukli się škodą krewniaka, potem wsiedli w autobus i przez Austrię, Niemcy, Francję dojechali do Calais, wreszcie znaleźli się na promie.

Tam po raz pierwszy zobaczyli nie staw, nie rzekę, nie jezioro. Morze. Tę pierwszą podróż morską odbyli w ciemności: zapach moczonych śledzi, słone wargi. Od szumu morza łatwo się usypia. Ledwo dzieci zasnęły i zaraz pobudka. Otwieraj oczy, to już Dover! Wyruszyli w niedzielę, dzisiaj środa. Więc podróż do kraju, w którym nie ma rasizmu, trwała trzy dni. Tu im będzie dobrze.

Na linii Michałowce – Dover – Michałowce działa telegraf bez drutu. Przekazał informację: o azyl proś natychmiast. Przyjedziesz w środę, poproś w środę. W czwartek urzędnik powie, że jesteś turystą. Badzio skorzystał z tej rady, trafił do sali dla pasażerów z problemami. Teraz czeka, aż go zawoła Immigration Officer. Mija godzina za godziną.

Zmierzcha się, gdy wreszcie zostają wezwani. Urzędnik zabiera im paszporty. Zdejmuje odciski palców. Robi zdjęcia. Dzieciom też: prawy profil, lewy profil, *en face*.

Ilona drży: – Badzio, oni myślą, że my jesteśmy bandyci. Czarne oczy urzędnika wpatrują się w każdy ruch Badzia, w każde drgnięcie twarzy. Hindus pyta przez tłumacza: – Czy pan się dobrze czuje? Czy pan może przeprowadzić tę rozmowę?

Badzio bez namysłu: – Tak.

Gdyby odmówił, miałby szansę na spotkanie z adwokatem, który przysługuje mu z urzędu. Dowiedziałby się, co w jego historii jest ważne, a co nie. Rozumiałby sens pytań urzędnika. Jego obrońca przyszedłby na przesłuchanie. To zmobilizowałoby tłumacza, który nie zawsze pracuje uważnie.

Badzio popełnił błąd, jak wielu przed nim. Nie wiedział, że rozpoczęła się właśnie wielka gra. Gra o status uchodźcy. Gra o azyl. Tego nie można kupić w sklepie ani znaleźć na ulicy, tego nie dostaje się w prezencie. To trzeba sobie wyszarpać, wywalczyć. To mordercza walka, choć odbywa się w ciszy gabinetów, na papierze. Przeciwnikiem jest urzędnik. Bronią – światowe konwencje, europejskie akty, angielskie paragrafy. Przestępcy trzeba udowodnić winę. Inaczej w staraniach o azyl. To uchodźca ma dowieść, że w swoim kraju był prześladowany. Dowód koronny: ślady tortur. Dowód bardzo dobry: dokumenty. Badzio ma tylko słowa. Urzędnik mu nie wierzy.

– Kto pana prześladował? Zwykli ludzie? Władza?

– Pół roku temu przyszli skini, chcieli nam spalić dom. W naszym domu mieszka siedem rodzin. Kobiety z dziećmi uciekły, a chłopy wzięli się do bitwy. Łby rozwalone, szyby poleciały. Przyjechała policja, zabrali nas na przesłuchanie. Tam jeszcze od policjantów dostaliśmy. Oni boją się Cyganów bić, tak robią, żeby ślady nie zostały. Skinów puścili. Przez tych skinów to u nas w Michałowcach strach w nocy wyjść na ulicę, a w dzień o dzieci strach. Chciałem dojść sprawiedliwości. Tyle z tego miałem, że jak prosiaka kupiłem, to dzielnicowy powiedział:

ukradłeś. Od tamtej sprawy ze skinami się mnie czepia. A jak żona idzie do opieki po zasiłek, to słyszy: zamknij drzwi z drugiej strony.

Immigration Officer: – Więc kto pana prześladował?

Badzio: – Ludzie.

Znowu błąd.

Pytanie: – Czy w swoim kraju pan pracował?

Badzio: – Do rewolucji na budowach, jestem elektryk. Ale potem zwolnili Cyganów. Szukam roboty w ogłoszeniach. Jak dzwonię, to mówią, że jest. No to idę. Wtedy widzą, że Cygan. To już nie ma.

Błąd za błędem. Nie pracowałeś? Żaden z ciebie uchodźca, jesteś tutaj dla pieniędzy. Dałeś urzędnikowi pretekst do napisania listu odmownego.

Pytanie: – Czy chce pan przeczytać protokół przesłuchania?

Badzio: – Ja wam wierzę.

Wchodzi angielski policjant. Badzio jest aresztowany. Z portowego aresztu pójdzie do więzienia. Będzie siedział w Rochester. Nie wiadomo jak długo, bez wyroku. Brytyjskie władze twierdzą, że do „miejsc odosobnienia" trafia zaledwie 1,5 procent wszystkich proszących o azyl. Ale zatrzymują aż 85 procent Cyganów z Czech i Słowacji, którzy są głowami rodzin. To dane londyńskiej kancelarii adwokackiej Howe & Co. Cyganie mogą wyjść na wolność w każdej chwili. Ale najpierw muszą

zadeklarować natychmiastowy wyjazd z Anglii
i obiecać, że przez pięć lat tu się nie pokażą.

Badzio siedzi w Rochester.
To dla Cygana nic nowego. Teraz więzienie
z telefonem, kiedyś łańcuchy i dyby. Niewola lub
banicja. Sznur. Obcinanie członków, uszu, nosa.
Dzieci porwane od matek. Obcy, gadzie, zawsze robili Cyganom takie rzeczy. Być może koczownictwo
było ucieczką przed prześladowaniem, wcale nie
wolnym wyborem.
Ktoś na mapie Europy zaznaczył szlaki pierwszych cygańskich wędrówek. Szara strzałka prowadzi od Indii ku Bałkanom – to wiek XIV, stamtąd
kieruje się ku środkowej Europie i zachodniej – sto
lat później. Cyganie są już prawie wszędzie:
w Pradze, Krakowie, Hamburgu, Rostocku, Lubece,
Zurychu, Bernie, Bazylei, Bolonii, Arras, Paryżu,
Brukseli, Barcelonie. Docierają do Edynburga
i Londynu.
Mija kolejne sto pięćdziesiąt lat. Czarna strzałka:
pierwsze deportacje.
Z Glasgow – do Wirginii.
Z Plymouth – na Barbados i Jamajkę.
Z Caen – do Ameryki Północnej.
Z Bordeaux – na Martynikę.
Z Lizbony – do Brazylii, Angoli i Indii.
Z Kadyksu – do Ameryki Południowej.

Cyganie budzili strach. Rozpowiadano, że ich wędrówka jest znakiem pokuty. Widać bardzo zgrzeszyli. Za występek należy się kara. Trudnili się kowalstwem: kowale są uczniami diabła. Ich język jest niezrozumiały, używają go przeciwko nam. Nie chcą orać i siać, a to przecież nakaz Boży. Włóczą się, wróżą, mamią, kradną, przynoszą morowe powietrze i głód. Nie mogą przestąpić bram nieba. Niech się wynoszą lub będą jak my. Tak myślała Europa w czasach deportacji.

Paniczny strach człowieka tamtej epoki tkwi głęboko. Nauka długo nie chciała go rozwiać. „Wilcza stopa zwyczajna – *Lucopus europaeus*: Cyganie, chcąc nadać ciału swemu, osobliwie twarzom, odrażający czarny kolor, mażą się sokiem tej rośliny" – z rozprawy dziewiętnastowiecznego botanika.

Badzio osadzony w Rochester rozważa: wet za wet, Cygan to Cygan i nie będzie gadziem. Ale czasem chciałby się do niego upodobnić. Badzio nosi dżinsy, półbuty z zamszu i skórzaną kurtkę, jak Włoch, Holender, Słowak. Nie jest dla niego wzorem bogaty Cygan z RFN ze złotą bransoletką przy zegarku. Ilona to blondynka, podobnie jej cygańskie koleżanki. Nieustannie walczą z odrostami, efekt bywa różny. Pigment. Czerń. Można odrzucić własny język, obrzęd, strój, tylko nie kolor.

W Czechach i na Słowacji ten kolor jest piętnem. Tam się podoba biel. – Biała rasa! – skandują skini w pochodach. – Czarni do Indii! Czarni won!

Ogień. W Hontianskich Nemcach doszło do kłótni między mieszkańcami. W nocy Cyganie ukryli się w domu Luby Hanelovej. Otoczyła ich tłuszcza z bańkami z benzyną. Do środka wpadły nasączone szmaty, Cyganie wyrzucali je. Zaczęło się palić. Ucieczka przez okno, pod razami. Brat Luby Józef nie zdołał się wydostać. Spłonął. (1995)

Woda. W Pisku czterech cygańskich chłopców bawiło się w parku na wyspie. Zaatakowali ich skini: obrzucili kamieniami, zepchnęli do wody. Siedemnastoletni Tibor Daniel nie umiał pływać. Utonął. (1994)

Żiar nad Hronem. Maszerując przez miasto, skini demolowali resturacje i bili Cyganów. Skatowany, oblany benzyną i podpalony Mario Goral, lat 18, nie przeżył mimo wysiłków lekarzy. (1995)

Kij. Pisek na Morawach. Czterech młodych mężczyzn postanowiło w karczmie, że dostaną jakiegoś Cygana. Znaleźli Tibora Berki. Zginął we własnym domu od ciosów kija do base-balla na oczach żony i dzieci. (1995)

Helsinki Watch, Obywatelski Ruch Solidarności i Tolerancji, inne organizacje strzegące praw człowieka alarmują. Władze Czech i Słowacji nie potrafią lub nie chcą powstrzymać przemocy. Wymiar sprawiedliwości po cichu sprzyja skinheadom. W Czechach faszystowska Biała Liga i Ku-Klux-Klan (działa tam taki ruch) przeprowadzają nielegalne demonstracje. Legalna Partia Republikańska Miroslava Sladka (18 miejsc w parlamencie) ma program antycygański. Podobnie Słowacka Partia Narodowa. Na ugrupowania ultranarodowe głosuje trzech z czterech policjantów i żołnierzy. Dziesiątkom tysięcy czeskich Romów po rozpadzie Czechosłowacji odmówiono obywatelstwa, potępiły to międzynarodowe instytucje. W obu republikach politycy pozwalają sobie publicznie na rasistowskie wypowiedzi. (Na przykład minister zdrowia Słowacji Lubomir Javorsky na mityngu w Koszycach w obecności premiera Mecziara: „Rząd zrobi wszystko, by białych dzieci rodziło się więcej niż romskich". Albo czeski senator ODS Zdenek Klausner, który w gazecie „Praga-Nusle" zaproponował „wyrzucenie Romów z miast". Zachwyciło to republikanów. Ich poseł Josef Krejsa oświadczył: „Wyraźnie widać, że Klausner odpisuje z naszego programu. Wywożenie to jedyny sposób rozwiązania kwestii romskiej").

Pół wieku temu kwestia cygańska w Protektoracie Czech i Moraw: ustawowe zwalczanie „czarnych gąb", całe rodziny w obozach koncentracyjnych Lety i Hodonin, transporty do Auschwitz. Po wojnie w Czechosłowacji zdarzały się wypadki przymusowej sterylizacji Cyganek. Proceder ten nie upadł, ogłosił niedawno czeski dziennik „Lidove Noviny". Pediatra Jirzi Biolek z miejscowości Most: „Z jednej strony mamy prawa człowieka, ale z drugiej jest to zrozumiałe, kiedy się zobaczy, jak Romowie się mnożą. Są mniej wartościową populacją, a na wychowanie ich dzieci wypłaca się wielkie sumy".

Plagi, jakich doświadcza cygańska społeczność po „aksamitnej rewolucji": nędza, bezrobocie, przestępczość, brak wykształcenia, segregacja. „Cyganom zabrania się wstępu na basen", „Cyganów nie obsługujemy".

W Lounach pokłóciły się dwie cygańskie rodziny. Policjanci przyjechali czterema samochodami i z psem. Cyganie zaczęli krzyczeć: – Białe świnie! Czeskie świnie! Potem ich zaatakowali, a na koniec oświadczyli, że im zjedzą służbowego psa. Funkcjonariusze uciekli.

Badzio w Rochester przypomina sobie tę historię, gdy jest mu smutno.

Fale morskie w Dover tak długo podmywały skaliste wybrzeże, aż powstało urwisko: przytłaczający biały klif. Na jego szczycie wznosi się warowny zamek, u stóp ma port. Wielkie konstrukcje statków, dźwigów i żurawi maleją na tle obrośniętego zielenią kamienia.

12 — Cygan to cygan

W hali dla pasażerów wieczny ruch, zwłaszcza latem, gdy bilet do Calais można kupić za jednego funta. Bagietki, kawa, automaty do gier, słodycze. Prom odpływa co godzina, do pokonania ma 20 mil. Chociaż dystans taki mały, w hali atmosfera odświętności, podniecenia. Ostatnie całusy i uściski dłoni, ostatni uśmiech. *Have a nice trip! Bon voyage! Gute Reise!* Rytuał podróży.

Kilka kroków od wybrzeża inny świat, niezmienny i zasiedziały. Kamieniczki, ogródki za żywopłotami, kolorowe sklepy, puby, przechodnie, z których bije pewność siebie. Dostatnie, wymuskane centrum Dover.

I znowu kilka kroków. Przy Folkestone Road czas zeszpecił szlachetne fasady kamienic, żywopłoty zarosły, a na trawnikach leżą zbutwiałe tapczany, pralki przeżarte przez rdzę, puszki po coca-coli. Tu umieszczono Cyganów.

Drzwi pomalowane na czerwono, za nimi w niewielkim korytarzu angielski wózek dla dziecka, używany, dalej dwa pokoje z kuchnią. Mebli tyle, żeby było na czym zjeść i na czym spać. Gorąco. Śmierdzi topioną słoniną. Po kuchni krząta się Marta: bawełniane legginsy i T-shirt, rude włosy spięte w koński ogon. Narzeka:
– Angielska słonina mało tłuszczu puszcza, a mięso ma inny smak. U nas w domu skwarki to aż pachną. Mąż przytakuje: – W domu mięsa się nakupiło,

kiełbasy się porobiło, z sąsiadami popiło, pośpiewało. Ja tam jeszcze wrócę, niech no się tylko trochę zmieni.

Marta: – Do wiosny się nie zmieni, Stefan.

Boją się, że ich wiosną deportują. Do Anglii na pewno przyszedł papier od władz ze Słowacji, że Romowie mają prawa i teatr w Koszycach. Rządy się dogadają i trzeba będzie wracać. Ale na razie z dwojgiem dzieci żyją w Dover. Dostają 114 funtów tygodniowo. Muszą się z tego utrzymać, opłacić światło, wodę, gaz. Jakoś wystarcza. – Z biedą – mówi Stefan. – Bo jak nie masz nic do roboty, to cały dzień siedzisz i jesz. Telewizor włączysz, a potem kawa, papieros, herbata, papieros. Przez jedenaście lat, jak jesteśmy małżeństwem, nigdy z żoną tyle nie byłem, co teraz. Poznałem życie Marty szczegółowo i mam dość.

Marta: – Czasem płakać mi się chce, po co tu dzieci przywlokłam. Chciałam, żeby nie były prześladowane od gadziów. Ale tu małą cztery dni ząb bolał, zanim lekarza znalazłam. Ten dentysta popatrzył na mnie i mówi: – Co, Gypsy, angielskiego nie znasz? Sam był Arab.

Stefan zaprzyjaźnił się z Anglikiem: – John mieszka w pobliżu. Przyszedł, rozejrzał się, mówi, że czysto. Marta zrobiła knedliczki: *very good*. Od słowa do słowa i John opowiada, że u nich w Anglii chłop zarabia, gotuje, pierze, sprząta. Wtedy ja

wstałem i otworzyłem szafę: patrz, John, jak żona
poukładała mi koszule. A John: tego i w Szwecji nie
widziałem. Dość często do nas wpadał, póki nie
urodziło mu się dziecko. Coś mu się za to od
państwa należało. Myślał, że będzie więcej, a jak
dostał mniej, to mi powiedział: moje pieniądze
poszły na Romów, wracaj na Słowację. Wtedy Stefan
wymyślił, że zrobi zbiórkę wśród Cyganów na
biedne angielskie dzieci. W dniu, kiedy wydają
zasiłki, każda rodzina da dwa funty. Ludzie w Dover
przekonają się, czy przyjechali tutaj dla pieniędzy.
Ale nic z tego nie wyszło. – Coś ty, głupi? – Cyganie
pukali się w głowę.

Marta i Stefan są w Anglii od sierpnia. W tamten
letni weekend stu Cyganów z Czech i Słowacji przy-
biło do brzegu w Dover. Stu naraz. Istnieje domnie-
manie, że urząd imigracyjny dał cynk dziennikarzom.
I zaczyna się histeria. Prasa bije na alarm: przez
ostatnie trzy miesiące kanał La Manche prze-
płynęło sześćset osób, ale aż dwieście – przez
ostatnie cztery dni. W sumie osiemset. Niemiecka
policja ostrzega: sześć tysięcy Gypsies jest już
w drodze. Kolejne tysiące mogą dołączyć zimą. Mały
strumyczek staje się potopem. A trzeba pamiętać,
że w Czechach i na Słowacji zostało jeszcze
700 tysięcy Cyganów. Tymczasem Dover osiągnęło
punkt nasycenia.

„Daily Mail" cytuje urzędnika Home Office: napływ Cyganów demoralizuje mój personel, który stał się bezsilny, bo ich nie może odesłać do domu. W gazecie przypomniano, że kto nie dostał statusu uchodźcy, ma prawo pisać odwołanie. Procedura trwa długo, nie trzeba wyjeżdżać. W tym czasie państwo przestaje łożyć na przybyszów. Ale ze względu na dzieci muszą wspomóc ich lokalne władze. A więc władze hrabstwa Kent.

Na łamach wielkie dodawanie. Sam dach nad głową dla uchodźców kosztuje podatnika milion funtów. Z pewnością będzie więcej, może i dziesięć milionów. Edukacja – pięćset tysięcy (na razie). Utrzymanie – dwa miliony. – To rachunek otwarty. Stanowczo potrzebujemy pomocy rządu Jej Królewskiej Mości – oświadcza w wywiadzie Keith Ferrin z Rady Hrabstwa Kent.

Ludzie w Dover zaczynają rozprawiać o Cyganach: że włóczą się i podkradają, że doją system opieki społecznej, że niby biedni, ale mają sprzęt hi-fi i dzieci modnie ubrane. Słowackie złodziejaszki! To nie uchodźcy, to Cyganie.

Każdy ma coś do powiedzenia. Właściciele sieci bed & breakfast: Cyganie zdzierają tapety, brudzą materace, niszczą sedesy i włamują się, gdy zgubią klucze. (Marta: – Mieszkanie może i ładne było, jak przyjechaliśmy. Ale puste, tylko podłoga. Na ziemi leżeliśmy, kurtkami przykryci).

Taksówkarze: Cyganie szastają pieniędzmi. Sklepikarze: skąd oni tyle mają? Papierosy kupują kartonami, mnóstwo alkoholu naraz. I za jednym zamachem sześć biletów na loterię. „Daily Mail" informuje o kobiecym gangu. Ze sklepów w Folkestone i Dover Cyganki brały bieliznę. Policja znalazła u nich towar wartości tysiąca funtów i oskarżyła o 42 przypadki kradzieży. Dostały po tysiąc funtów grzywny plus koszty procesu. Wszystkie starały się o azyl. (Marta: – Angielki kradną na nasze konto. W markecie podejrzałam babę, brała mięso. A przy kasie już mięsa w koszyku nie było).

Protestują rodzice: oczywiście cygańskie dzieci muszą się gdzieś uczyć, ale dlaczego właśnie z naszymi? Dyrektor szkoły odpowiada im w liście: – Bardzo bym chciał, żeby tych dzieci nie izolowano, bo i tak są przerażone i nieśmiałe. Ale nie mogę powiedzieć z ręką na sercu, że nie wpłynie to na poziom edukacji państwa dzieci. (Marta: – Ja swoich i tak do szkoły nie posyłam. Stefan: – Dwa kilometry, kawał świata).

Na to wszystko odzywają się angielscy skini.

W połowie listopada wśród Cyganów kolportowano ulotki: „V patek vecer budte dom. V sobotu nechodte do mesta". Przed demonstracją neofaszystów (legalną) zjawiają się w Dover angielscy Cyganie ze Shropshire. Jest noc. Chodzą od drzwi do drzwi. Opowiadają o tym, jak próbowali zapobiec manifestacji, ale władze nie odpowiedziały na ich pisma. Alarmowali romskie organizacje w całej Europie – nie miały siły, by pomóc. Więc teraz trzeba jechać.

Cyganie ze Shropshire wożą swoich aż do świtu, zajmują się kobietami i dziećmi tych z Rochester, uwięzionych. Wśród nich jest Ilona, żona Badzia. Londyńscy Żydzi użyczają zbiegom synagogi. Ci ze Shropshire kupują w McDonaldzie hamburgery tym z Michałowców, Ostrawy i Koszyc. Więc nie są głodni, ale na czym spać w synagodze? Na kamieniach? Po jednej nocy Cyganie wracają z Londynu nad morze. Jedni ryglują drzwi, a inni wsiadają w taksówki i uciekają do Folkestone.

Skini z brytyjskimi sztandarami maszerują po bulwarze. *Gypsies go back! Gypsies go home!* Na to podburzeni przez Cyganów ze Shropshire anarchiści: *fuck off!* Obie grupy oddziela kordon policji. Filmuje to telewizja angielska.

Demonstracja skończona. Ale „*Gypsies fuck off!*" zostaje na ustach niektórych mieszkańców miasteczka. – *Fuck off!* – rewanżują się cygańskie dzieci i pokazują im palec.

Skinów pod brytyjskimi flagami pokazuje telewizja angielska w programie „World in action". Ich marsz to puenta reportażu (dzień wcześniej dokument ten zapowiedziano w „Sunday Mirror"). Film

opowiada o Cyganach w Czechach i na Słowacji:
o zabijaniu kijem, ogniem, wodą; o niskich wyrokach
za morderstwa; o dziennikarzu Klimie, który kłamał,
jak dobrze jest Cyganom w Kanadzie i w Anglii. Ukry-
ta kamera obserwuje cygańskiego chłopaka próbują-
cego wejść do dyskoteki. Bramkarz zza uchylonych
drzwi: – Przykro mi, ale Cyganów nie wpuszczamy.
Nie mogę stracić pracy. Nie pytaj, czemu nie wpu-
szczam. To kierownik. Tak jak pijanych nie wpusz-
czam. Nie mam nic przeciwko tobie, ale jest jak jest.
        Zobaczyło to całe hrabstwo Kent. Home Office
uparcie odmawia wszystkim statusu uchodźcy, lecz
wiele się zmieniło. Parafia anglikańska czuwa nad
wybraną cygańską rodziną. Hotelarki piszą Cyganom podania i odwołania, prowadzą do urzędów,
pilnują, by dostali, co im się należy. Mieszkańcy
hrabstwa (także przedstawiciel arcybiskupa Rochester) ręczą w sądach za mężczyzn siedzących
w „miejscach odosobnienia". Mężczyźni po kolei
wracają do rodzin. A Ilona wciąż czeka na Badzia.

        W więzieniu Badzio ze słowackich Michałowców
rozważa: dlaczego każdy Roma kopie? Dlaczego
gadzie chcą nam zabrać duszę, godność, twarz?
Dlaczego mówią „wracajcie do Indii"? Dlaczego
wędrujemy po Europie jak zwierzęta? Czy rządy nie
mogą nic na to poradzić? Nie wie, że późną jesienią
Robin Cook, minister spraw zagranicznych Jej

Królewskiej Mości, złożył wizytę w Pradze. Z prezydentem Vaclavem Havlem rozmawiał także o Cyganach z Dover. Oświadczył: przed wejściem do Unii Europejskiej Czechy mają obowiązek poprawić los 300 tysięcy swych obywateli narodowości cygańskiej. Dodał, że Wielka Brytania nie jest krajem o miękkim sercu dla fałszywych poszukiwaczy azylu. Ci, którzy wprawdzie mogli być prześladowani, ale nie potrafią tego udowodnić – nie znajdą tu domu.

Prezydent Havel zaapelował do Romów, by nie wyjeżdżali, a premier Czech (wtedy był nim jeszcze Vaclav Klaus) obiecał angielskiemu ministrowi 18 tysięcy funtów na deportację Cyganów. Do Bratysławy Robin Cook nie pojechał, bo Unia Europejska na razie Słowacji nie bierze pod uwagę.

Badzio ma w celi czas na rozmyślania. Zadaje sobie mnóstwo pytań, bez odpowiedzi. Dlaczego siedzi w więzieniu? Dlaczego angielskie władze tak przeraził jego przyjazd? Przecież Cyganie dwa tysiące lat wędrowali taborami i chociaż biali kazali im osiąść, wciąż są w ruchu. Krążą po Europie: z Rumunii do Czech, z Czech do Anglii, z Polski do Szwecji, z Jugosławii do Niemiec. Niedługo gadzie z krajów, w których rządzili komuniści, dostaną nowe prawo: żyj, gdzie chcesz, zakładaj interes, gdzie chcesz. Śmieszne, Cyganie od dawna to znają. Ale może właśnie nam znowu na to nie pozwolą, myśli Badzio. Wynajdą jakiś chytry przepis, żeby Cyganom zabrać duszę, godność, twarz. Skąd gadzie biorą godność? Ze swojej ziemi, historii i praw. A my ziemi nie mamy, historii nie znamy, cygańskich praw zapomnieliśmy. Już i nasza muzyka nie jest nasza, gramy białym.

Badzio się zastanawia, jak ma wychować dzieci. Na Słowaków? Gadzie ich nie przyjmą. Na Cyganów? W cudzych państwach nigdy nie będą u siebie. Anglia też dla nich nie stanie się gniazdem. Choćby w Izraelu zostało tylko pięciu Żydów, nikt im godności nie zabierze, są na swoim. Mogą się upominać o rodaków w świecie. Walczyli o to dwa tysiące lat. Kto się upomni o Cygana?

Gdyby była gdzieś Romska Kraina.

Dziwne są myśli Badzia. Cygan nie wie, co to ojczyzna. Nie potrzebuje wspólnej religii, władzy, państwa, nie liczy się dla niego pamięć, czas. Cygan to Cygan. I to go różni od gadzia. Badzio duma w Rochester, czy nie podpisać deklaracji powrotu do domu. Żal mu pieniędzy, sprzedał motor, żeby mieć na przejazd. Zyskał rozum. Romska Kraina nie istnieje. Trzeba wracać.

Było to dawno, dawno temu, po potopie. Noe upił się i obnażony legł w namiocie. Jego syn Cham zobaczył go, roześmiał się i opowiedział o tym braciom. A Jafet z Semem okryli Noego burką. Nie patrzyli na sromotę ojca, do namiotu weszli tyłem.

Gdy Noe zbudził się, przeklął swego wnuka – syna Chama, który na imię miał Kanaan. Odtąd i on, i jego potomkowie będą sługami pokoleń zrodzonych z Sema i Jafeta. Sem jest ojcem Semitów, jego ród wydał Abrahama. Cham jest ojcem Cyganów, Kanaan ze swym ludem mieszkał w Palestynie.

Gdy Badzio wyszedł z więzienia, usłyszał, jak tę historię opowiadał Cygan ze Shropshire James. Tu w Anglii Cyganie czytają Biblię. James twierdzi, że w Ziemi Obiecanej dzieci Chama mają wspólną ojczyznę z dziećmi Sema. Z Żydami. Nauka mówi, że to niemądra legenda. Ale Badzio uwierzył. Coś w tym jest. Żydów prześladowali, dziś szanują. I dla Cygana jest nadzieja.

Marzec 1998 r.

Koń

Był wśród Kelderaszy taki,
co kapował milicji. Mówił, kto należy do
starszyzny, kogo Cyganie szanują,
kiedy i gdzie wójtowie zbiorą się na sąd.
Opowiadał o szlakach,
o miejscach postoju,
o fantach przemycanych przez granicę.
Milicjanci zaczęli nękać Kelderaszy.
Wciąż nowe zatrzymania i rewizje,
aż się Cyganie domyślili,
o co chodzi.
Ale nic nie mówili, czekali.
Pewnego dnia w taborze padł koń.
Wtedy zabili kapusia siekierą, wepchnęli
do końskiego brzucha i zaszyli.
A konia zakopali.
Ponoć wymyślił to Bano,
już nie żyje.
Została po nim ta opowieść.

TESTAMENT CYGANA FELUSIA

Zaczęło się podobno od kłótni małżeńskiej. Gdy Motyl opuścił dom kilka lat temu, jego żona zwróciła się o pomoc do zwierzchnika. To on rozstrzyga ważne spory. Nazywają go *Siero Rom* (Cygan Głowa) albo *Baro Siero* (Wielka Głowa). Teraz głową Cyganów jest Nudzio z Nowego Dworu Mazowieckiego: potężny, czarnowłosy, z dużym brzuchem. Władczy. Ale to nie dyktator i nie król. Jak wszyscy jego poprzednicy musi się liczyć z opinią dostojnych starców, ważnych rodów. Z kodeksem. Prawo zwykle daje szansę winowajcy. Jeśli mężczyzna porzuca kobietę, zwraca pieniądze, które wziął za nią przed ślubem. Gdyby tego nie zrobił, byłby skalany – nie wolno narażać rodziny na nędzę. Jednak może się zdarzyć, że facet chwilowo nie ma ani grosza. Wtedy prosi zwierzchnika: teraz nie mogę, daj mi termin, to zapłacę. Motyl też prosił, ale z zupełnie innego powodu. Tęsknił za żoną, chciał się godzić. Mimo to Nudzio uznał go za skalanego.

Skalanie to dotkliwy stan. Nie wolno jeść i pić wśród swoich, nie wolno bywać w ich mieszkaniach. Ze skalanym – *magerdo* – nawet rodzona matka nie siądzie przy stole. Człowiek czuje się jak trędowaty, bo sam ma moc kalającą. *Siero Rom* lub jego zastępca wyznacza sposób i czas oczyszczenia.

Dawniej, kiedy wyroki zapadały w lesie, *Baro Siero* policzkował skazańca na oczach całego taboru, a czasem nawet kilku. Im poważniejsza sprawa, tym więcej sędziów, więcej wozów. Napiętnowanie obserwowali dorośli i dzieci. Ale mieszkanie czy dom to nie polana, teraz rozprawy ogląda mniej świadków. Za to wieści szybciej się rozchodzą. Po trzech dniach wszyscy polscy Cyganie opowiadali o Motylu.

Wyrok zastanowił kilku starców z Łodzi i Pabianic. Czemu zwierzchnik postąpił tak niesprawiedliwie? Czy to w ogóle prawda? Postanowili się upewnić. Nim zadzwonili do Nowego Dworu, wcisnęli w telefonie guzik, który nagłaśnia rozmowę. Nudzio skalanie potwierdził. Wtedy – zgodnie z prawem – wezwali go, by się wytłumaczył. Odmówił. Potem rozpuścił plotkę, że wcale Motyla nie skalał. Dla starców to była straszliwa obraza: *Siero Rom* twierdzi, że kłamiemy.

Nie potrafili żyć z tą hańbą. Dlatego pewnego ranka pod Jasną Górę zajechały mercedesy i tłum w odświętnych kapeluszach stanął przed obrazem Panny Marii. Cyganie wierzą w boską sprawiedliwość. Tego, kto przysięga krzywo w obliczu majestatu, spotka kara. W imieniu starców świętą przysięgę składał szczupły, siwiejący Chytek. Rejestrowała to kamera wideo. Kasety prędko trafiły do cygańskich rodzin, na dobre imię zwierzchnika padł cień. Wałkowano tę sprawę na chrzcinach, stypach i weselach, nawet wielki zjazd jej nie rozstrzygnął. Kłócili się, gdy Motyl sypiał znów ze swoją żoną. Nudzio chciał położyć kres tym sporom. Tylko najpoważniejsi Cyganie mogą ocenić, czy pomysł, na jaki wpadł, mieści się w ich kodeksie. On też złożył przysięgę – ale nie w Częstochowie, tylko u znajomego księdza spod Nowego Dworu. To nie jest neutralne miejsce. Dlatego Chytek nie przybył, choć przysięgał sam zwierzchnik.

Scena pierwsza amatorskiego nagrania. Nudzio ogłasza w swoim domu: – Moja jest prawda. Muszę to udowodnić dla całego świata.

Scena druga. Zwierzchnik w białej koszuli kroczy placem przykościelnym. Obok cała gromada. Mężczyźni o napiętych twarzach, podniecone dzieci. Kobiety krzyczą: – Nie chodź! Targają włosy z przerażenia.

Scena kolejna. Zaklęcie: – Boże, ty widzisz prawdę moją. A jeśli ja nie jestem kłamcą, to niech ta klątwa spadnie na Chytka – wypowiada *Siero Rom* przed ołtarzem. Biją dzwony, palą się świece. Na marmurowej podłodze stoi trumna. Następna kwestia należy do duchownego: – Zgodnie ze zwyczajem świętym Romów wasz król złoży teraz przysięgę wobec Boga, Kościoła, rady starszych i was tak licznie zgromadzonych. Proszę powtarzać za mną – zwraca się do Nudzia. – Przysięgam Bogu Wszechmogącemu w Trójcy św. Jedynemu, że będę mówił prawdę. Tak mi dopomóż Panie Boże Wszechmogący i wieczna Jego męka. Teraz trzy razy zapytam, a ty odpowiesz mi z ręką na krzyżu. Czy przez ciebie został wykluczony ze społeczności Cygan Motyl? Zwierzchnik: – Nie. Nie. Nie. Teraz całuje krucyfiks i podchodzi do trumny. Kładzie się. Już leży na białym atłasie. Grobowa cisza, nagle szloch. Kamera drży, zagląda w przerażone oczy widzów, pokazuje łzy na policzkach.

Wkrótce cygańskie rodziny odtwarzały również to nagranie. Jednak nie wszystkich przysięga *Siero Roma* przekonała. Denerwowali się: – Aktoro! Specol! Czas tego nie uspokoił, przeciwnie. Teraz ci są za Nudziem, ci za Chytkiem. Wojna. Majowy zjazd pokaże, kto wygra. Na razie rodziny i rody spotykają się, kłócą, uzgadniają stanowiska. Za każdym razem kończy się tak samo: że wspominają dawne czasy, gdy jeszcze wędrowali, a po Daderusiu nastał Felek.

Felek, zwany Kororo, to pierwszy powojenny *Siero Rom*. Zwierzchnictwo odbierano mu dwu- krotnie. Raz po tym, jak w 1947 roku z zemsty żona oskarżyła go o zakazane pieszczoty. Gdy się oczyścił kościelną przysięgą, zjazd – *Romano Celo* – znów go powołał. Jednak ci, których zabrakło na *Celo*, powtarzali dawne zarzuty. Dlatego w 1952 roku Cyganie spotkali się po raz kolejny i – mimo wątpliwości – przyznali władzę innemu. Ale dziewięć lat później Felek ponownie został *Baro Siero* – już do śmierci.

Na początku nie wszyscy byli mu życzliwi. Miał dwóch zastępców: bogaty, szanowany Nyny i jego brat Rupuno mierzyli siły z Felusiem, przegrali. Bracia znali języki, czytali książki po niemiecku. Widywali się chętnie, często jeździli tym samym taborem. Tabor to krewni: wujowie, ciotki, kuzynostwo. Po pierwszych wiosennych grzmotach taborowa starszyzna określała teren wędrówki, ostateczną decyzję podejmował wójt – Rupuno.

Rachego ojciec był mu szwagrem.

Rachy – czterdzieści cztery lata, srebrny mercedes, złoty sygnet Fabergé. Urodzony w taborze. Jego dzieciństwo upłynęło za Felusia. – Tatę wołali Władziu. Zwyczajny Cygan, niebogaty i niebiedny. Miał dużo dzieci, mnie ósmego po kolei. Urodziłem się w styczniu. Tej zimy tabor dojechał do Zdun. Polacy chętnie nas przyjmowali w tamtych czasach, odnajmowali pokój i pomieszczenie dla koni. Parę lat temu, jak byłem w Zdunach po metrykę, to odnalazłem ten dom i gospodarza. Porządny facet, Kocik się nazywał. Zaraz po Wielkanocy mama mnie opatuliła, z zawiniątkiem na wóz, no i heja! Tak mi opowiadali.

Który to mógł być rok... Sześćdziesiąty pierwszy? Może drugi? Mieszkaliśmy w Głogówku za Bydgoszczą, w kamienicy. Od tego zimowania pamiętam już nasze wędrówki. W jakich lasach my stali? Koło Jarosławia, Śremu, Jarocina, Krotoszyna, Poznania. Pochodzę z Kaliszaków. O Kaliszakach mówi się, że astmowici. Astmę masz? To Kaliszak jesteś. I że najtłuściej jedzą: boczki, golonki, żeberka. Kaliszaki od dziada pradziada jeździli po Wielkopolsce, od przed wojny. Jakie było to lato! Las. Zapach lasu. Chodzenie po lesie. Las to życie!

Stoimy w lesie tydzień. Potem zbiera się starszyzna taboru i każdy ma słowo, gdzie dalej. Tam gdzie jarmarki, gdzie handlarze końmi, końskie targi, tam gdzie gospodarz ma konia na sprzedaż. Wszystko wokół koni się kręciło. Tato mnie uczył czyścić konia, uprząż mu kłaść, na czas napoić i dać futer. Dbał o niego jak ja o mercedesa. Maść nie liczyła się, z wyjątkiem białego. Biały to tyfus, bardzo tani. Cygan z białym koniem się nie liczył, tak jakby teraz miał syrenkę. Wtedy na samochodach się nie znali. Jeden taki w wołdze paliwo wlał do silnika zamiast do zbiornika. Od koni to byli szpece! Czasem kupili psuja, narownego, to wódki mu dali. Dostawał dzikich oczu, ciągnął jak głupi, a jak wytrzeźwiał, chciał zabijać. Buraków mu dali, żeby miał brzuch napęczniały. No i obowiązkowo piłowanie zębów, pastowanie, henna – koń młodniał o dziesięć lat. Polacy na jarmarkach też niegłupi, znali te triki. Ale ten albo tamten dał się zrobić. Jak byłem mały, każdy Cygan miał konia, wóz, pierzyny i psa. Mój pies to Lisek – rudy, mały. Kiedy zginął, wszystkie dzieciaki płakali. Pamiętam jeszcze, tato w wozie zawiesił barometr. Takie wozy jak nasz, z wejściami z boku i z tyłu, nazywały się *waguno*. W Ostrowie Wielkopolskim robił je rzemieślnik Stodolny, miał warstat, kupę ludzi do tego, Polak. Były standardy: z oberluftem i bez, rzeźbione i nie rzeźbione. Stodolny malował ozdoby roślinne i słońce na suficie. Żadnej masówki, pod dyktando. A puch na posag kupowało się w Częstochowie. Kupcowe chciały zarobić, do puchu dodawały mąki. Latem, jak Cyganki wytrzepywały te pierzyny, to drzewa były białe. Więc wzięły się na sposób. Na targu okręcały rękę czarną tasiemką i wkładały w worek z puchem. Moja żona Kawka jest wnuczką Rupuno, dali jej cztery pierzyny w posagu! Dziś dziewczynie daje się biżuterię, meble, a chłopakowi dom i mercedesa. Co kto ma.

Ziutek – rocznik 1960, barczysty, włosy związane w koński ogon, muzyk. Mieszka w Libiążu (Małopolska), pochodzi z Cyganów niemieckich. Ród

Mersteinów od pokoleń żył ze sztuki. – Muzykowali w zachodniej Europie, w salach koncertowych i na dworach. Dziadek z braćmi mieszkali w Szwajcarii. Uciekli przed wojskiem z Niemiec, nad Jezioro Bodeńskie. Tam później mieli interesy: kina, restauracje, kamienice. Ale nie mogli na miejscu usiedzieć, więc wędrowali z cyrkiem. Robili numery kowbojskie: lassa, noże, woltyżerka na koniach. Przy okazji handlowali instrumentami. Wszyscy kończyli średnie szkoły i znali się na lutnictwie.

Za Hitlera weszły ustawy antycygańskie. Niemcy mówili, że jesteśmy asocjalni. Wtedy cyrk Mersteinów grał w Polsce, bo atmosfera była tu bardziej przyjazna. Ale z tutejszymi Cyganami nie zadawali się. Wszyscy ci handlarze patelniami, niepiśmienni kowale, wioskowi muzykanci wydawali im się dzicy.

Sinti – niemieccy Cyganie – potracili majątki wcześniej niż niemieccy Żydzi. Dziadkowi i jego braciom Hitler zabrał nawet konie. Wtedy przeprawili się pod Poznań i zamówili nowe wozy – piękne, rzeźbione w smoki, w krokodyle. Dyszle kazali zostawić puste, ukryli tam pieniądze i złoto.

Wybuchła wojna, Niemcy zajęli Poznań. Mersteinowie powinni służyć w Wehrmachcie. Więc udawali, że są bez papierów, chociaż mieli i niemieckie, i szwajcarskie. Zakapował ich własny parobek, Polak Ignac. Niemcy wzięli wtedy wujka: wydało się, że zdezerterował.

A potem wyszedł dekret o mieszańcach cygań-skich, bo Niemcy chcieli być czyści. Wtedy całą moją rodzinę deportowano do Drohobycza. Ale Mersteiny rozumieli, co się święci, i uciekli. Szli z cyrkiem ze wschodu na zachód, przez Krosno i ukrywali wszystko, co cygańskie. Podawali się za Meksykanów. W czterdziestym trzecim roku nadszedł pogrom. Dziadek i reszta schowali się w Puszczy Świętokrzyskiej, po lesie chodzili na nogach, prosili o jedzenie. Mówili tylko po niemiecku. Chłopi się ich bali, nie pozwalali nocować w stodołach.

Rodzina rozproszyła się podczas ucieczki. Przed wojną jechali do Poznania w siedem wozów. Jak weszli Ruscy, dziadek był sam, pod Częstochową. Tygodniami wędrował po lasach i gwizdał w umówiony sposób: szukał swoich. Spotykał Cyganów polskich, węgierskich, niemieckich. Całe to bractwo pouciekało z transportów i gett. Dziadek długo zbierał swoich. Nie wszyscy przeżyli – poginęli w piotrkowskim getcie, w bombardowaniach, prababcia w lesie niepołomickim zamarzła.

Ledwo wyszli z ukrycia, capnęli ich Ruskie. Dwóch wujków zesłali na Sybir jako Niemców. Innym się udało. Krzyczeli do enkawudzistów: my Cihany, my Cihany. Popisywali się przed nimi, śpiewali, tańczyli.

A potem znów kupili wozy i naradzili się, co dalej. Niektórzy wrócili do Niemiec po majątki. Ale mój dziadek nie chciał mieć z Niemcami nic wspólnego. Stworzył rodzinny zespół. Garnizony wojskowe, sekretarze, rosyjscy oficjele, budowniczowie Pałacu Kultury, czwórki murarskie Warszawy. Dla tej publiki grali Straussa, Kalmana i *Kalinkę*. Od wiosny do jesieni wędrowali z cyrkiem Mersteinów. Ciotka tresowała krowy, mama wirowała rozpięta na kole, wujek rzucał w nią nożami. A dziadek ubierał się w najlepszy garnitur i wyruszał na łowy. Kupował po miasteczkach zabytkowe skrzypce od profesorów muzyki.

Władzom nie podobało się cygańskie życie, więc Mersteinowie udawali Węgrów. Pamiętam, kończyła się szkoła – i w tabor.

Rachy: – Jak tabor jechał, dzieci siedziały na wozach. A jak dojechał, to po wodę, po drewno, pomagało się przy ogniu, przy namiotach. Na bosaka, mało kto w butach. A potem w rośkę – to taka gra patykami na drużyny, w drebara – na kamyki albo w karty. Graliśmy na smolanki. Temu, co przegrał, smarowało się twarz sadzami. Kiedyś Nyny kupił do taboru baterie elektryczne, rzutnik, bajki. W nocy rozwieszaliśmy płachty na drzewach.

W dużym lesie tabor zostawiał umówione znaki na postojach: kije brzozowe, sosnowe, świerkowe. Myśmy wbijali w ziemię kołek dębowy: jak inne Cygany przyjadą, to się dowiedzą, że tu niedawno

Kaliszaki byli. Tabory się spotykały – na weseliska, na sądy, na swaty. Cygan mówił do Cygana: ty piętnastego masz być ze swoimi na łąkach szczęśliwickich pod Warszawą. A tamten: daję swoje słowo! Jak dałeś słowo, to łeb pod topór kładź, musisz się stawić. Bo jeśli nie, to jesteś kłamca – *chochano*. To jesteś nic. Mój kuzyn Pachu dał swoje słowo i trzy dni czekał na stacji kolejowej, aż Cygan, z którym się umówił, dobije taborem pod Tarnów.

Żyło się w swoim świecie. Starsi pamiętali wojnę. W oczach jeich wszystko, co niecygańskie, było groźne, a wszystko, co cygańskie – dobre. Moje pokolenie uczyło się zasad jak dziecko uczy się mówić. Z powietrzem wdychaliśmy *romanipen*. Nie wolno ujawniać gadziom spraw cygańskich. Nie wolno zakapować innego Cygana. Cygan z Cyganem ma rozmawiać po cygańsku. Starszym trzeba dać szacunek, bo przekazują nam język i prawo. To, co gadziowskie, jest nieczyste. Nie byłoby tej rozmowy, gdyby tu siedział jakiś stary.

Rupuno, Nyny, Pachu od pokoleń mieli zasługę i sławę. Czyści, bez zarzutu, dziesiątki lat pracowali na swój autorytet. W sądzeniu pierwszy głos miał Rupuno. Wysoki, siwy, z wąsem, rozważny, spokojny. Znał zakon. Po południu, kiedy wszyscy wrócili do lasu, zbierał się cały tabor. Cyganie przedstawiali sprawy, a on słuchał. Kłócili się o drobiazgi: że ktoś na kogoś powiedział złe słowo. Wójt godził ludzi, uspokajał. Czasem ostrzegał: uważaj, więcej tak nie rób. Poważne oskarżenia – o skalanie – to była już rzecz Felusia. Kradzież. Kobita chłopa posądza. Chłop swoją zostawił, cudzą uprowadził. Przy takich sprawach tabory spotykały się w lesie Felka. Pamiętam: starszyzna się naradza, ja mały słucham – bo dzieci nie odganiali. Po rozstrzygnięciu sporu taka radość! Złe z nas spłynęło, jesteśmy razem, oczyszczeni, wybaczyliśmy sobie. Za wędrowania był szacunek wzajemny i miłość, dziś pokłócą się i latami nie rozmawiają. Pies z kotem.

Czasem do lasu zajeżdżała milicja i baby z urzędu. Chłopak byłem, ale czułem, że to źle.

24 maja 1952 roku rząd PRL uchwalił: „Prezydia rad narodowych wszystkich szczebli rozwiną na terenach, gdzie przebywają Cyganie, szeroką akcję wychowawczego oddziaływania na ludność cygańską w kierunku porzucenia przez nią koczowniczego trybu życia i przejścia na tory produktywnego życia osiadłego.

Ministrowie: oświaty, zdrowia, kultury i sztuki, pracy i opieki społecznej, gospodarki komunalnej, przemysłu drobnego i rzemiosła, rolnictwa oraz prezes Centralnego Urzędu Szkolenia Zawodowego – ustalą niezbędne procesu produktywizacji szczegółowe potrzeby osiadłej i koczującej ludności cygańskiej oraz roztoczą stosowną opiekę nad tą ludnością każdy w swoim zakresie działania".

Niedługo potem komendant główny Milicji Obywatelskiej zarządził akcję „C". Plan uzgodniono z komitetami wojewódzkimi i powiatowymi partii. Gminy i miasta powołały komisje spisowe. Akcję przeprowadzono 22 i 23 września 1952. W lasach odkryto ledwo 140 taborów wędrownych. Określanie tożsamości Cyganów nadal przedstawiało się „katastrofalnie". Milicja miała odtąd rutynowo „sprawdzać nie tylko tożsamość poszczególnych osób, ale także ruch taborów". Do późnych lat siedemdziesiątych Cyganów rejestrowano na specjalnych kartach DPA-1. Odrębna sprawozdawczość obejmowała ich do połowy lat osiemdziesiątych.

Z materiałów Komendy Głównej MO: „Przechodzenie Cyganów z koczowniczego trybu życia na osiadły nie jest łatwe ani proste. W roku 1950 w województwie zielonogórskim wędrowna grupa cygańskich kotlarzy została zatrudniona przez Spółdzielnię »Zgoda Lubuska« przy pobielaniu kotłów w rzeźni miejskiej i w mleczarni w Skwierzynie. Na propozycje władz osiedlenia się taboru wójt cygański oświadczył, że porozumie się w tej sprawie z »królem«. W kilka dni później cały tabor wyjechał w niewiadomym kierunku, bez uprzedzenia.

W pow. Elbląg Cyganie nie chcieli oddać dzieci do szkoły, tłumacząc: »Nam powietrze morskie szkodzi na zdrowie, chorujemy od tego, więc wiosną i tak trzeba będzie stąd odjechać«.

W Bydgoskiem osiedliła się grupa Cyganów. Zorganizowano naukę dla dzieci w szkołach i przedszkolach. Do pracy nakłonić się nie dali, dowodząc, że »nie muszą« pracować, bo mają »zapasy na dwa lata«, po czym wiosną odjechali w niewiadomym kierunku".

Niepodległe tabory urągały ustrojowi. W 1960 roku komitet centralny partii zalecił „paszportyzację" i powołanie „organizacji społecznej Cyganów subsydiowanej przez MSW". Ocenił: „Aby skutecznie wpływać na likwidację koczownictwa, należy podjąć systematyczną, planową działalność, która by zawierała elementy przymusu".

Rachy: – Dwa miesiące temu pijemy w Częstochowie z takim starym generałem od prawa cygańskiego. Pytam się: wujku, ile ty masz lat? Na to on: a chcesz prawdziwie czy fałszywie? Moja żona Kawka ma cztery siostry, każdą ojce zapisali na inne nazwisko. Tak na wszelki wypadek. Byli prześladowani. Nie wiedzieli, o co władzy z tymi papierami chodzi, czy to się przeciw nim nie obróci. Cygan obcemu nie wierzy, stół zje, a nie uwierzy. Wtedy kombinowali: im więcej nazwisk, tym lepiej.

W taborze wójt musiał każdego wpisać do kajetu. Dzieciaki filowały, czy nie jadą gadzie. Warszawa albo willis w lesie? Wiadomo, że się zaczną jakieś wąty. Ile was tam jest? Gdzie książka meldunkowa? A ten wóz gdzie zapisany? Willisa bałem się, jakbym szatana zobaczył. Mieliśmy umówiony gwizd. Jak nas było za dużo, chłopaki uciekali albo chowali się w pierzyny. Były też inne skrytki. Na przykład dziadek Ziutka miał w wozie ciężką marmurową toaletkę. Oni szukali w szafie i za szafą, ale toaletki nie ruszali. A tam za deskami dwóch chłopów mogło się schować.

Na polanę wpadają administratorki, żeby wypełnić ankiety: – Nazwisko?

– Dębowski Józef. (A nazywa się Doliński Jan).

– Ile masz lat?

– Pani, piętnaście. (Ma dwadzieścia).

– Ojciec gdzie jest?

– Nie żyje. (Stoi obok).

– Gdzie zginął?

– Z kochanką uciekł.

– A kiedyś ty się rodził?

– Jak kartofle kopali.

– W którym roku?

– Mówią, że trzeźwa jesień wtedy była.

Baby pytają starego Cygana: – Żona jak się nazywa?

– A ja wiem?

– Dzieci pan ma?

– Mam.

– Ile?

– Ja wiem?

Administratorki od tego ściemniania wariują. Dopadają jakieś dziecko: – Kogo ta córka jest? Metrykę ma?

Cyganka: – Pani, na co nam papiery? (A metrykę córki trzyma w ciuchach).

– Kiedy rodzona?

– Jak kwitły jabłonki.

I już ma dwie metryki. Za rok w nowym lesie wystawią jej trzecią.

Chłopaki za nic w świecie nie chcieli do wojska. Żeby ich nie capnęli, we wskazującym palcu prawej ręki podcinali sobie ścięgna. Czasem nachlali się gorzały, kładli palec na pień i ciach siekierą. Reszta kombinowała.

Na polanę wpada komisja: – Panie wójcie, proszę książkę meldunkową. Tu jest poszukiwany poborowy.

Wójt: – Tak, ale ...

Podbiegają Cyganki: – On ma żonę! On ma pięć dzieci!

Komisja: – Gdzie te dzieci?

Wójt po cygańsku: – Przyprowadźcie jakieś.

Cyganki: – O, to są jego dzieci!

– Te pięć dzieci to jego!

– On ma iść do wojska?!

Cyganie pożyczali sobie dowody, meldunki, metryki. Tak się rosło.

Gadzie uciskali nas coraz gorzej. Czepiali się o tablice i światła przy wozach, kazali gasić ogniska. Na ulicy co chwila: Cygan, gdzie robisz? Cygan, z czego żyjesz? Mandaty, kolegiumy, za czarną głowę wsadzali na czterdzieści osiem godzin. W Powiedziskach był taki Walek, co znał się na urzędowych sprawach. Wytłumaczył nam: to dlatego, że chcą Cyganów osiedlać. Kobiety w płacz: to nie będziemy już wyjeżdżać? Już nie będziemy się w lesie spotykać? Faceci z rozpaczy pili gorzałę.

Milicja Obywatelska: „Działalność taktyczno--rozpoznawcza ma specjalne znaczenie w warunkach pracy w środowisku zamkniętym, wyróżniającym się z otoczenia szczególnym trybem życia. W Polsce taką wyróżniającą się grupą społeczną stanowią Cyganie". Wielostronicowa instrukcja Komendy Głównej dla terenowych jednostek MO całą cygańską społeczność uznaje za podejrzaną. „Najlepiej przeprowadzać kontrole meldunkowe z rana, przed godziną piątą, kiedy wszyscy Cyganie są w taborze. Ilość funkcjonariuszy MO uczestniczących w kontroli musi być odpowiednia do stanu liczebnego taboru. Otaczając tabor, należy pamiętać o użyciu psów służbowych. Cyganów, których nie ma w obozie, należy wynotować z książki meldunkowej i sprawdzić, czy nie są poszukiwani".

Jeśli jakakolwiek osoba lub rodzina opuściła tabor, by przyłączyć się do innego, zadanie funkcjonariuszy to niezwłoczne powiadomienie jednostek MO. Droga tej osoby lub rodziny winna być znana „aż do celu, tak jak to obowiązuje przy przekazywaniu informacji o przechodzeniu całych taborów".

Akcję zatrzymania wozów wędrownych władze zaplanowały na 23-25 marca 1964 roku. Trzeba ją było przygotować. „Oddział Służby Kryminalnej uzyskał nazwiska starszych taborów (wójtów), adresy ich miejsc zamieszkania w okresie zimy, trasy przejazdów taborów i miejsca postoju w okresie letnim". Próbowano także tworzyć cygańską sieć agenturalną. „Notowaliśmy wypadki głoszenia teorii, że werbunki Cyganów są w zasadzie niemożliwe. Obecnie niechęć ta została przełamana. (...) Zaufanie i autorytet można u Cyganów zdobyć w drodze rzeczowego wyjaśnienia zagadnień dotyczących troski i opieki państwa nad ludnością cygańską, udzielania pomocy w przechodzeniu na osiadły tryb życia i organizowaniu spółdzielni pracy, traktowania Cyganów jako pełnoprawnych obywateli itp.". Jednak „łatwiej jest werbować osoby powiązane z Cyganami aniżeli samych Cyganów", ponieważ „nawet postępowi i inteligentni Cyganie odczuwają lęk przed ewentualną zemstą współbraci na wypadek dekonspiracji".

Instrukcja informuje, że cygański kanon zabrania ujawniać pozostałych sprawców przestępstwa. „Poważny wpływ na stosunek do śledztwa ma Cygan, który posiada prawo zdejmowania obowiązku przestrzegania przysięgi. Mamy tu na myśli tak zwanego *Siero Roma*. Lecz użycie do tych celów tej osoby jest na ogół bardzo trudne i w sprawie prowadzonej przez KG MO nie dało żadnych wyników. Kwiatkowski Kazimierz vel Brzeziński Wawrzyniec – »Felek« został wierny swym zwyczajom".

Akcją z 23 marca objęto ponad 10 tysięcy Cyganów – 1146 koczujących rodzin. Zatrzymano 21 osób poszukiwanych za przestępstwa.

Romek – rocznik 1960. Wysportowany, dynamiczny restaurator z Oświęcimia. Syn cygańskiego wójta, którego swoi nazywali Baro Władek (Wielki Władek).

– Dobrze pamiętam Felusia. Taki spokojny, niewysoki, w okularach. Właśnie przez okulary nazywali go czasem Kororo – Ślepiutki. Feluś był nieskazitelny. Do dziś opowiadają o jego wyrokach. Bolek i Maruny mają spór, idą do Felka. Jutro rozprawa, a Maruny chwali się przed Felkiem swoim koniem. Jaki on piękny, zachwyca się Felek. Na to Maruny: podoba ci się wujku? Chcesz, to bierz! Felek nic nie odpowiada. Następnego dnia na rozprawie przyznaje rację Bolkowi. Każe Marunemu zapłacić mu pieniądze za krzywdę. A Maruny w lament: z czego zapłacę, wujku, ja nic nie mam!

Na to Feluś: ty draniu, wczoraj to miałeś! Oddaj mu swojego konia! Taki był Felek. Mówią, że potrafił przejrzeć człowieka na wylot. Wystarczyło, że spojrzał i winni się przyznawali. Szanował kanon. Kiedy go podejrzewano o skalanie, nie pchał się na stanowisko, tylko czekał. Wiedział, że nie może być sędzią we własnej sprawie. A dzisiaj co? Prywata i kumoterstwo.

Feluś był twardziel. Opowiadał mi Cindoro, jak w wojnę Niemcy łapią tabor Felka. Cyganom każą kopać dół i nad nim stanąć. Rany boskie święte! Już stoją, przed nimi karabiny maszynowe. A Felek do Cindoro: uciekamy, przekaż dalej. Nie chciał, żeby ginęli jak owce. I połowa się uratowała.

Felek ocalił nas przed komuną. Pod groźbą ciężkiego skalania zakazał wstępować do partii, do ORMO, do wszystkich organizacji gadziowskich. Mówił, żeby nie robić na państwowym. Więc niektórzy bielili kotły i saturatory, jak mój ojciec. Inni zajęli się handlem. Od znajomych Polaków kupowali w mieście wełnę na garnitury albo jedwab sukienkowy i sprzedawali po wiochach. Dzisiaj to przedsiębiorczość, a wtedy paragraf. Znam dziadka, dwadzieścia osiem razy zamknęli go za handel obwoźny. Myśmy nie budowali Nowej Huty, robili to Cyganie z gór – *Bergitka Roma* – dwieście lat temu osiedleni. Oni się zasymilowali, szli na hasła lecieli na milicję, jak zobaczyli trzy wozy na drodze. Dawno o tradycji zapomnieli. U nas ciężko się było wyłamać. Pamiętam to trzęsienie ziemi, kiedy ciotka Wanda zapisała się do Ligi Kobiet. Ci, co do ostatka wędrowali – Kelderasze, Lowara i my, *Polska Roma* – trzymali swój *romanipen*. Na oczach mojego pokolenia wszystko się rozpada. A człowiek musi w coś wierzyć. Żona spytała kiedyś, co z pierwszą komunią naszych synów. Odpowiedziałem: masz wolną rękę, ja nie byłem. Dla mnie na Kościół za późno, moją wiarą jest *romanipen*.

Po wojnie był straszny bandytyzm po lasach. A kogo najłatwiej złapać? Rany boskie święte! Pakowali Cyganów do więzienia, oskarżali o szpiegostwo, o zabójstwa i rozboje. Wypytywałem starszych. Mówią: Romek, przecież wiesz, co to cygańska robota. Konika spoić, zęby mu podpiłować – to tak. Ale mordować? Tamci torturowali ich, trzymali w piwnicach z wodą. Wzięli i Felka, żeby nakłonił tych biedaków do sypania. Odmówił. Odsiedzieli niewinnie parę lat i wyszli. Feluś nigdy się nie złamał.

Rachy: – Różnie to osiedlanie wyglądało. Czasem milicja otaczała tabor i zabierała całe bractwo na komendę. Mężczyzn rozbierali do naga, baby do połowy. Oglądali znaki szczególne, patrzyli w zęby, kazali włosy do góry podnosić. Potem sadzali na stołku i robili zdjęcia – z przodu, z boków. Brali wszystkich, nie tylko tego, co coś zrobił.

My na osiadły tryb przeszliśmy w Śremie. Władza nie miała lokali, więc tabor stał na łące całe lato, milicja pilnowała. Potem dali Cyganom rudery, nam pokoik z kuchnią nad samą Wartą, na Nadbrzeżnej 9. Mieszkaliśmy tam w siedem ludzi. Człowiek nie był przyzwyczajony do murów. Okna pootwierane, bo duszno. Zmywanie, mycie, pranie – w rzece. Żeby dostać mieszkanie, ojciec musiał iść do pracy w zakładzie betoniarskim, a dzieci do szkoły. Ja – do Szkoły Podstawowej nr 2, potem do zawodówki. Byłem pięściarzem, wicemistrzem okręgu w wadze lekkośredniej. Zrobiłem prawo jazdy. Potem zakochałem się w Kawce, dogadałem się z nią i poprosiłem kolegę o pomoc. Czekaliśmy parę dni pod Kawki domem, wreszcie wyszła. Porwałem ją! Moja rola złapać ją za włosy, a jej – krzyczeć. Ona miała czternaście lat, ja szesnaście. Rodzice pobłogosławili i urządzili wesele. Teraz nasza wnuczka uczy się w Kanadzie. Ma tam luksusy, nic nie wie o lesie.

A po osiedleniu było tak. W Śremie pięć rodzin chce wędrować, w Pleszewie cztery, w Jarocinie osiem. To już tabor. Więc wiosną po pierwszych grzmotach wójt szedł na kolej do szefa okręgu. Mówił: potrzebuję dwadzieścia wagonów bydlęcych. Dawał kasę. Cyganie zjeżdżali się potajemnie pod kolejową rampę i cała hołota – z wozami, z tobołami, z końmi – ładowała się w nocy do pociągu.

Po drodze przystawali, jedli, prali, karmili konie. Tydzień taka podróż trwała.

Jeździli i ciężarówkami. Czasem na bazie nie było tyle samochodów, to wyruszali z kilku i spotykali się po drodze. Rano konwój docierał na miejsce. Jeśli nie, to do wieczora stał ukryty w lesie. A potem jak najdalej, pod ruską granicę, żeby nie deportowali. Za duży koszt i kłopot tyle narodu odesłać z Przeworska do Śremu. Tabor eskortowano zwykle od powiatu do powiatu, schodziło się do zimy. Czasem po drodze dali Cyganie gliniarzowi parę groszy – i w bok.

Z milicją różnie bywało. Zajeżdża posterunkowy na polanę. Wójt: – Napije się pan, panie komendancie?

Napił się: – Porządne z was Cygany. Mnie tu nie było, ja nic nie widziałem.

Inny znów srogi: – Dowód!

Cygan: – Panie, nie mam. Miałem, ale nie mam. Dzieci spalili.

– Nazwisko?

– Dębowski Marian. (Kłamie).

– A który tu jest wójt?

– O ten. (Znów kłamie, pokazuje pijanego).

– Tu nie wolno stać, wynoście się!

Podbiegają Cyganki: – Panie, jak? Jego kobita jest w szpitalu!

– Jego koń nogę złamał!

– On ma córkę w ciąży!

Nie zawsze tabor wpadał. Dzieciaki filowały. Idą gadzie! – na ten sygnał każdy się chował. Czasem byli parę metrów od nas, i nic. W razie obławy nocowaliśmy pod gołym niebem, nawet późną jesienią. Robiło się wtedy ognisko olchowe – olcha nie daje dymu, tylko krótki płomień – i dwie godziny grzało ziemię. Potem na gorący popiół z żarem kładło się mokre gałęzie. Na to słomę, żeby suszyła parę. Na to plandeki i pościel. Ale spanie!

Ziutek: – Tabory spotykały się pod Krakowem, z prawej strony za Krzeszowicami. Po drodze omijało się Tarnów. To było słynne miasto, bo tam paru Cyganów zapisało się do partii, zrobili stowarzyszenie. W Tarnowie zawsze przed szóstą rano był nalot. Do Krzeszowic przyjeżdżali i Kelderasze, i Lowara, i oczywiście Polska Roma. Kupili beczkę wódki, wypatroszyli kury i biesiada. Sintowie mają inny dialekt, lepiej domówiliby się z tamtymi po polsku, ale jak to: Cygan z Cyganem po polsku będzie gadał? Więc wychodziło tak. Baro Władek mówi: tu byłem i tu byłem. A mój dziadek rozumie: tu się wysrałem i tu się wysrałem. Śmiech.

Dziadek był wójtem – *Puru Sinto*. Miał pozłacaną buławę. Kiedy umierał, chciał ją komuś z rodziny przekazać. Nikt tej laski nie przyjął. Każdy planował wyjazd do Niemiec, bo tu nie było życia.

Włożyliśmy dziadkowi buławę do trumny. Ludzie gadali, że jest cała ze złota. Trzy tygodnie wojsko pilnowało cmentarza w Mysłowicach. Mama miała uraz do Niemców. W połowie lat siedemdziesiątych zostaliśmy w Polsce sami, mieszkaliśmy w Chrzanowie. Tata dawno temu zginął w wypadku, trzeba było sobie radzić. Kończyłem podstawówkę, a już grałem w nocnych knajpach w Krakowie i Katowicach. Pieniędzy zarabiałem więcej jak górnik na kopalni. Zdałem do średniej szkoły muzycznej i w drugiej klasie wyjechałem z Polakami na tournée. Potem Pagart organizował nam koncerty wiele razy.

Tylko Pan Bóg wie, jak tych Jugoli my strzelali! Był w Tczewie facet, mistrz wzmacniaczy. Robił podróbki, że to niby sprzęt amerykański. Wciskaliśmy do tych wzmacniaczy kożuchy, szły jak woda. A wzmacniacze spylało się w Dubrowniku z dziesięciokrotną przebitką. Interes kwitł. W Niemczech kupowałem gitary, w Czechach kable i struny, na Węgrzech handlowałem koniakami i wegetą. Potem była moda na damskie zegarki na szyję. I w Jugosławii Cygany mnie na tych zegarkach oszukali.

Tego nie mogłem sobie darować! Przypomniał mi się wujek. W 1960 roku sam Dawid Ojstrach zamówił u niego smyczek. Wujek potrafił rzeźbić główki, malował na dekach, czytał książki o budowie skrzypiec. To był spec! Rozbierał nowe steinerki, postarzał i wiózł do Niemiec jako stradivariusy i skrzypce z Cremony. Potem w Polsce przez rok dobrze się bawił. Pamiętam, jak się trząsł, kiedy jemu ktoś wciskał podróbkę. „Co? Mnie oszukać? Profesora oszukać?". A ja, głupi, dałem się zrobić! Musiałem się odegrać, czekałem na następny sezon. Graliśmy wtedy w górach. Kolega wsiadł ze mną w pociąg i pojechaliśmy nad morze. Wchodzimy na targ: są te skurwysyny od zegarków. Wciskamy im pierścionki z tombaku, małe, ładne. Na to stara Cyganicha: spadajcie z tym gównem. Ale tamci się napalili, zapłacili jak za złoto. Do stacji biegliśmy polami i chyłkiem do pociągu. Na dworcu było czarno. Zorientowali się, zebrali ferajnę.

Polacy mnie lubili, tylko z nimi się zadawałem. Z Jugosławii wracaliśmy tydzień. Trzeba umieć handlować, bo wtedy życie jest barwne. Cyganie mają łeb do biznesu. W tamtych czasach przepchnęli paszporty przez bufet, odłożyli trochę grosza na Zachodzie i teraz mają pałace. Wtedy świnia dziesięć dolców kosztowała.

Ja byłem u swojej rodziny w Dortmudzie, załatwili mi umeblowane mieszkanie i posadę listonosza. Przyjeżdżam, a krewniacy litują się nade mną. Trzeba pomóc biedakowi z Polski. Każdy dawał mi sto marek. Potem w Trzebini musiałem wziąć bagażowego na paczki. Przywiozłem magnetofon, skórzane kurtki, czekolady.

Na Śląsku też nie było źle, kopalnie miały pieniądze. Co cztery dni impreza, swojskie salcesony i kiełbasy. Władza chciała się bawić, więc grałem. Ciągle w ruchu. Kurczaki kupowałem na wiedeńskich targach, szmatki dla żony, odżywki dla córki w Peweksie, po dywan zajechałem taryfą do Zakopanego. Wydawałem po pięćdziesiąt dolców na owoce. A w sklepach same słoiki i komitety kolejkowe. Sąsiedzi pisali donosy: on tylko chodzi z gitarą, skąd ma na kaczki?

Potem zachorowała mama. Przed śmiercią powiedziała coś ważnego: masz trzymać się Cyganów, bo tylko oni cię schowają, tylko oni ci w biedzie pomogą. W Chrzanowie cygańskim wójtem jest brat Romka. Poszedłem zawiadomić go o mamie. Wyciągnął portfel. Zapytał, czy mam na pogrzeb.

Cyganie zmieniali „maluchy" na škody, škody na volkswageny. Kupili telewizory i pralki automatyczne. Dużo jeździli w interesach. Samochody, dywany, antyki – tym handlowali. Nauczyli się murów, późną jesienią nie otwierali wszystkich okien.

Dziewięćdziesięcioletni Feluś mieszkał w Kutnie. Tam jak dawniej rozsądzał spory i decydował o skalaniach. Pewnego dnia na ulicy napadła go Cyganka. W zemście za wyrok uderzyła zwierzchnika kamieniem zawiniętym w chustkę. Z trudem dowlókł się do domu, broczył krwią.

Możesz mieć mercedesa i pełno dolarów w kieszeni. Co z tego? Jeśli nie oddasz szacunku starszemu, choćby był nie ogolony i obdarty, nie jesteś prawdziwym Cyganem. W Kutnie zdarzyła się rzecz niesłychana. Od zatrzymania wędrownych taborów minęło kilka lat, a kodeks zaczął się rozpadać. Po tym zdarzeniu Feluś podupadł na zdrowiu. Żył jeszcze rok. Krótko przed śmiercią ogłosił ostatnie słowo. Ponoć starszyzna nagrała na magnetofon ten testament. Zwierzchnik apelował do głów rodów, by strzec tradycji. Nakazał wierność wobec tabu. Zabronił modnych nowinek – krótkich spódniczek, obcisłych spodni, długich włosów. Żądał, by Cyganie pozostali samorządni. Prorokował: przetrwać pozwoli tylko *romanipen*. Orędzie skończył aktem łaski – zdjął z Cyganów ciążące na nich skalania. Spod tej amnestii wyłączył sprawy o długi i dwa najcięższe występki: *ciorachane romengre* – cyganokradztwo i cyganobójstwo oraz *phukane romengre* – donosicielstwo i zdradę.

Zmarł w lipcu 1975 roku. Tłum, który żegnał Felusia na cmentarzu, przyjął testament.

Polska Ludowa: „Poufne! Urząd Wojewódzki w Tarnowie, Wydział Spraw Społeczno-Administracyjnych. Dotyczy: pobytu osób narodowości cygańskiej na terenie tutejszej gminy. Urząd Gminy w Ryglicach informuje, że na terenie wsi Zalasowa nr 499 u małżeństwa Chaim Piotr i Chaim Jadwiga z domu Olechowska zamieszkuje rodzina cygańska tj. Ciureja Edward s. Franciszka i Jadwigi ur. 18.12.1939 Marcinkowice, żonaty z Weroniką Ciurej z·d. Mirga /żona obecnie zamieszkuje na stałe w Marcinkowicach/ od dnia 05.03.1980 pobyt stały Zalasowa 499, poprzednio Zalasowa 509, wcześniej Marcinkowice 221. Do chwili obecnej nie pracuje, w dniu dzisiejszym pobrał skierowanie do pracy na terenie miasta Tarnowa. Wraz z w/w zamieszkuje konkubina Halina Delimata /narodowość cygańska/ c. Franciszka i Rozalii Delimata ur. 08.01.1946 Bobowa, pobyt stały Florynka nr 130 gm. Grybów woj. nowosądeckie. Od 25.01.80 do 25.03.80 zameldowana na pobyt czasowy w Zalasowej 499. W/w ubiega się o wydanie dowodu osobistego z uwagi na zagubienie dotychczasowego dokumentu tożsamości. Po otrzymaniu nowego dowodu osobistego zamelduje się na pobyt stały w miejscu obecnego zamieszkania. W chwili obecnej nigdzie nie pracuje. Ponadto pod tym adresem zamieszkują dzieci: Delimata Leszek s. Franciszka i Delimata ur. 14.06.75 Katowice oraz Delimata Sabina c. Franciszka Ciurei i Haliny Delimata ur. 07.05.78 Krynica. Z up. Naczelnika Gminy st. referent Halina Osika /podpis nieczytelny/. Ryglice, dnia 05.03.1980 r.".

Romek: – Miałem dużo kolegów Polaków i zakochałem się w Polce – w Agacie. To było w 1981 roku, w październiku. Wracam z randki, jadę w dół koło zamku. Widzę, coś się pali. Spotykam kumpla: Romek, uciekaj stąd! Nie słucham, od strony mojego domu bucha wielki płomień. Kupa ludzi tam stoi. Wjeżdżam w tłum. Ktoś krzyczy: ten Cygan jest tutaj. Wycofuję się, próbuję od ulicy Górnickiego. Po drodze zatrzymuje mnie znajomy z milicji: Romek, żebyś ty stąd zniknął. Pytam, co z ojcem, z mamą. Mówi: nic im nie jest, uciekaj! Rany boskie święte, ale dokąd? Nie chcę uciekać, muszę sprawdzić, co z innymi. Milicjant: to ja z tobą. Razem jedziemy na ulicę Berka, tam też tłum. Tłum się przemieszcza, demoluje mieszkania. Milicjant zląkł się: ja wysiadam. Patrzę w lusterko: zostań, z tyłu też są. Otoczyli nas. Włączyłem światła, próbuję gazować. Krzyczę: zejdźcie z drogi, bo jadę. Stali w miejscu. Rany boskie święte, jak się bałem. Mogli zabić, zlinczować. Zamykam oczy, a potem otwieram. Nie pamiętam tej drogi. Szyba rozbita kamieniem, zerwane wycieraczki, żyję. Jadę na Stolarską osiem. Tłum wchodzi w bramę i krzyczy. Podpalać! Cygańskie dzieci na stos! Śpiewają *My górnicy suchotnicy* i *Jeszcze Polska nie zginęła*. Milicja bije się z nimi. Żeby nie milicjanci, wszystkich Cyganów w Oświęcimiu by spalili. Sto czterdzieści osób.

Tego nie mogłem przeżyć, że w tłumie widziałem kolegów. Poszedłem do jednego. Jak mogłeś? Moja mama cię lubiła, pomagałeś nam, a my tobie. Pokłóciliśmy się. Drugiego zapytałem: co masz przeciwko nam, z tej samej miski jedliśmy. Wyrzucił mnie.

Cyganie ukryli się w lasach pod Bobrkiem. W mieście został ojciec, ja i jeszcze paru. Następnego dnia gliniarze wzięli nas na komendę. Szliśmy na nogach: oni po bokach, my w środku. Ludzie patrzyli jak lwy wygłodniałe.

Na komendzie powiedzieli, że Cyganów nie chce w Oświęcimiu milicja, urząd i partia. Mamy wyjechać. Jeżeli zostaniemy, oni umywają ręce. Dali nam bilety w jedną stronę. Było na nich „posiadacz tego biletu nie jest obywatelem PRL".

Do Lund w Szwecji dotarłem 13 grudnia. W Polsce ogłosili właśnie stan wojenny.

Nowa Polska. „Stanowią obrzydliwy i bolesny ropień na ciele naszego Narodu. Cyganie – grupa etniczna pozbawiona jakiejkolwiek kultury, wyzbyta wszelkich ideałów moralnych i religijnych, koczowniczy motłoch trudniący się jedynie rabunkiem i bandytyzmem. To oni stanowią rozsadnik przestępczości, oni plugawią ulice naszych miast. Czas najwyższy, aby ktoś poważnie zabrał się za rozwiązanie tej drażliwej kwestii. Ponieważ rząd nie ma zamiaru zająć się sprawą Cyganów, inicjatywę musi wziąć w swe ręce sam Naród. Polska jest własnością Polaków. Narodowy Front Polski".

W czerwcu 1991 roku w Mławie kilkunastoletni Cygan spowodował wypadek: potrącił dwoje młodych ludzi. Chłopak zmarł, a dziewczyna została kaleką. Dwa dni później pijany tłum zdewastował bogate cygańskie wille. Wbrew plotce, która wywołała to zdarzenie, ojciec sprawcy nie przekupił prokuratury i policji. To właśnie on zaprowadził syna na komisariat.

Pogrom w Mławie napiętnowano, socjologowie badali źródła nienawiści. W tym samym czasie w Oświęcimiu powstawała pierwsza w Polsce reprezentacja polityczna Romów.

Demokracja wpisała słowo Rom w dzieje Cyganów.

Romek: – Chciałem żyć w Polsce, to mój kraj. Wróciłem do Oświęcimia i zbudowałem dom. Chciałem pokazać, że nie różnię się od innych. Też mam prawo do tego miasta. Ja Oświęcim pamiętam z dzieciństwa. Namioty rozbijaliśmy nad Sołą. Mama kupowała świeczki i prowadziła mnie do babci, na wielki cmentarz Cyganów. Wtedy myślałem, że to łąka.

A ze Stowarzyszeniem Romów w Polsce było tak. Poznałem w Niemczech kilku Sintów z zacnych rodów – wolnych chrześcijan. Odezwali się do mnie. Powiedzieli: trzeba się modlić za oprawców, żeby im Bóg wybaczył. Pomyślałem: czemu nie modlić się w Auschwitz – pod ścianą śmierci i w *Zigeunerlager*? Przekonałem tych pastorów. Na modły do obozu miało zjechać pięć tysięcy Romów z całej Europy. Już są w drodze. I wtedy wybucha ta Mława, a oni przerażeni zawracają. Znałem z telewizji starych działaczy romskich. Dzwonię do nich, czy uratują sytuację, bo wszystko przygotowane. Nie przyjechali. Później się tłumaczyli, że coś im wypadło.

Po tej Mławie zrobiło się niewesoło. W gazecie wyczytałem o Andrzeju Mirdze. Uczony Rom! Rany boskie! Ja mam tylko kilka klas, jak większość. Szukałem go po całym Uniwersytecie Jagiellońskim, chodziłem od katedry do katedry, wreszcie mi się udało. Mówię tak: Andrzeju, ty jesteś mądry, poradź mi, jak organizację dobrą zrobić. On się ucieszył. Chodziło nam o to samo: żeby Romowie w wolnej Polsce byli obywatelami.

Andrzej pochodzi z gór. Koczownicy takich Cyganów mieli za nieczystych. Do dziś wielu tak uważa. Na zebraniu założycielskim szok! Romek wziął do kompanii łabanca – górskiego – bierze się za gadziowską robotę. No to jedziemy do zwierzchnika po zgodę, tłumaczymy, że chcemy bronić naszych praw na zewnątrz. Z początku *Siero Rom* słuchał nieufnie, pamiętał organizacje dawniejsze.

Trzy razy byliśmy w Nowym Dworze. Wreszcie stała się ta rewolucja. Nudzio naradził się ze starszyzną i ogłosił: w porządku, ale jest jeden warunek. Jeśli ucierpi *romanipen*, nie Mirga za to odpowie. Byłem zastępcą, a prezesem Andrzej. Ludzie go polubili, praktykę romską łapał w lot. Ja też się od niego uczyłem. Najpierw badaj, bo przed leczeniem, musi być diagnoza. Do poważnych analiz bierz fachowców. W kółko mi to powtarzał. Złościłem się: po cholerę 365 razy w roku jeździmy do Warszawy? Ale on lepiej rozumiał politykę: zobaczysz, to jeszcze będzie procentować.

Andrzej miał dużo przyjaciół z opozycji demokratycznej w Krakowie, chodził z głową w chmurach. Ja jestem prosty Cygan. W Ministerstwie Kultury nie szło załatwić jakiejś sprawy, wkurzyłem się. Mówię: to lecimy do Kancelarii Prezydenta. Andrzej, że nie wypada. Co nie wypada? Tam koło kancelarii stoi taka budka, biuro przepustek. Wciągnąłem Andrzeja siłą i zagaduję strażnika: mamy kłopot, a pan na pewno tu zna kogoś mądrego. Strażnik pomyślał i znalazł. Zawsze tak wyglądało: mówiłem pierwszych dziesięć słów, potem Andrzej.

Ale Andrzeja pociągała inna praca. Kiedy odszedł ze stowarzyszenia, strasznie się czułem. Myślałem: trzeba to zamknąć. Szukałem drugiego Mirgi, bez skutku. W końcu postanowiłem powalczyć. Teraz ciągnę ten wózek z Rachym i Ziutkiem. Jest jeszcze

Staszek, mieszka w Czarnej Górze – rodzinnej wiosce Andrzeja.

Dużo z Andrzejem przeżyliśmy. Pamiętam, zaczyna się kampania wyborcza i Jacek Kuroń rzuca myśl: Mirga na posła. Oszalałem! Rom w parlamencie! Miałem zadanie – zorganizować pięć tysięcy głosów. W Unii Demokratycznej mówię szefowi kampanii: dostarczę tych ludzi do urn, dajcie mi tylko autobusy do Krakowa. Zacząłem Romów namawiać. Objechałem Śląsk, Wrocław, Legnicę. Na Podhalu przygotowałem tysiąc pięćset głosów, co nie było łatwą sprawą. Rany boskie święte, to Indiany! W Maszkowicach się biłem. A że Cygany czytać, pisać nie umieją, więc do każdego autobusu wyznaczyłem przewodnika. Miał pokazywać, pod którym numerem na liście stawiać krzyżyk.

Sobota wieczór. Romowie pobrali już kartki z urzędów, że będą głosować w województwie krakowskim. Wydzwaniam po całej Polsce: zabierajcie Cyganów, Polaków, pijaków, bo jutro każda osoba się liczy. Telefon od Andrzeja. No, Andrzej, załatwione, jesteś posłem! A on, że Unia nie da autobusów. W niedzielę trochę Romów przyjechało do Krakowa na własną rękę, ale nie wzięli dowodów. Więc się nie udało.

Po tym wszystkim Andrzej szybko się otrząsnął i zabrał za robotę. On dla nas wszystkich jest wzorem. Musimy się uczyć – i nie zatracić.

Staszek – siwy olbrzym, trochę Rom, trochę góral. Muzyk. – Romek zapytał, czy chcę do stowarzyszenia. Mówię mu: ja jestem inna rasa, inny szczep. A Romek jak to Romek: co się martwisz. I wziął mnie do swojej rodziny.

Pierwsze, co mi było dziwne, że w gościnie nawet kieliszka mi nie dali. Postawili literatkę i każdy lał alkohol sobie. Potem kieliszek odwracasz i oddajesz z butelką. To bardzo mądre. Jak jest rodzina, to czego się brzydzić? Ile chcesz, tyle se lejesz. Bo ktoś ci naleje, to albo więcej, albo mniej. Jesteś chytry, nalejesz se całą szklankę.

Albo przy stole. Młody podchodzi do najstarszego i całuje go w rękę. Pyta, czy może usiąść w towarzystwie. A starszy daje zezwolenie albo nie. I młody musi się tym zadowolić.

Albo rozprawa romska. Wywaliłem gały. W polskim sądzie dostałby w zawieszeniu, a u Romów zawieszenia nie ma. Starszyzna naradziła się między sobą i ogłosiła werdykt. Nikt się nie wychylił, że ma inne zdanie. Z początku było mi trudno, aż zrozumiałem, na czym polega ta rzecz. Ten *romanipen*. Mogę go w sobie mieć. To najpiękniejsze, co mnie spotkało.

Romek: – Trudno przekazywać kodeks poza lasem. Feluś przewidział, że cywilizacja nas poróżni. Gubimy się. Starszyzna do partii nie wstąpiła, przetrzymała. Teraz jest słaba. Starcom brak stanowczości, bo sami czują się niepewnie. Do lekarza chcą iść, a nie walczyć. Mają kłopot z moim pokoleniem. Stawiamy im wymagania. Chcemy, żeby nasze prawo było ostre, rygorystycznie przestrzegane Jeśli jest wina, ma być kara. Wtedy skończą się wreszcie rozłamy i kłótnie. Wzajemne oskarżenia niszczą. Co z nami będzie, jeśli zapanuje chaos? Czy przekażemy dzieciom *romanipen*? A może tylko polskie prawo. Wtedy z cygańskości zostanie nam ciemna skóra. Ten nasz *Stary Testament* da się przełożyć na dzisiejszy świat. Potrzebujemy mądrego starca, nowego Felusia. Wierzę, że jest nim jego krewny Chytek.

Gadziów musimy zacząć traktować poważnie. To już wiem. Ale w pięć czy dziesięć lat nasza moralność się nie zmieni. Proszę, nie wymagajcie tego od nas.

Pleszew w Wielkopolsce. Podwórka strzeże owczarek kaukaski. W kwitnącym ogrodzie biesiada. Kiełbasa, szynka, ciastka, szampan, wódka, banany i ogórki. Wszystko naraz. Rozmowę zaczęli w południe, a teraz słońce zachodzi.

Roztrząsają, czy Nudzio skalał Motyla.

Czerwiec 2000 r.

POSŁOWIE

Wiek XIX był stuleciem rodzenia się nacjonalizmów. Konflikty o charakterze etnicznym należą do istotnych motywów wybuchu I wojny światowej, i ideologii, która doprowadziła do II wojny i stworzenia obozów zagłady. Wydawało się, że czas niepokojów etnicznych już nie może powrócić. Ale schyłek wieku XX pokazał, że konflikty na tym tle nie są zjawiskiem przebrzmiałym ani rzadkim. Rozpad Związku Radzieckiego i uzyskanie niezależności przez kraje byłego bloku „postępu i demokracji" pobudziły świadomość narodową, ale też ujawniły skrywane fobie i antagonizmy. Podobne zjawiska towarzyszyły rozpadowi Jugosławii i Czechosłowacji. Wojna w Bośni, a potem w Kosowie, jest tego najbrutalniejszym przejawem, ale pomniejsze ogniska rozmaitych form agresji na tle rasowym, narodowym i religijnym trudno policzyć. Cyganie są zbiorowością, która częściej niż inne była i jest w Europie Wschodniej celem agresji czy obiektem niechęci.

Od sześciu stuleci Cyganie-Romowie są znani na ziemiach polskich, na Bałkanach ich obecność

odnotowano kilkadziesiąt lat wcześniej. Nie
wiadomo dokładnie, kiedy przybyli do Europy i choć
jedynie język wskazuje na ich indyjskie pocho-
dzenie (pozostałe elementy kulturowej osobowości
przejęli w Bizancjum lub już w Europie), to nadal
są zbiorowością, która zachowała specyfikę, wyróżniającą ją pośród otoczenia i świadomość wspól-
noty.

Wielowiekowe oddziaływanie otoczenia w różnych częściach świata wywarło na nich tak głęboki
wpływ, że nie sposób dziś powiedzieć, która grupa
reprezentuje bardziej „cygański" charakter, jest
bardziej tradycyjna czy dysponuje bardziej archa-
iczną bądź czystszą kulturą cygańską. Niewątpliwie
mocne więzi wewnętrzne, spoistość rodowa i gru-
powa – podstawowe wartości cygańskiego etosu – są
zasadniczą siłą sprawczą ich niewtopienia się
w niecygańskie otoczenie. Długie, trwające dziesiątki i setki lat, kontakty z innymi narodami
wytworzyły pewne formy więzi – wynikające
z przejęcia religii czy elementów kultury otoczenia,
ale zawsze kontakt z rodziną, grupą, z innymi Cyganami był ważniejszy niż przywiązanie do państwa,
nie mówiąc już o politycznych orientacjach. Granice
państwowe były i są dla wielu z nich uciążliwym
utrudnieniem, ale nie przeszkodą o charakterze
emocjonalnym – choć tylko część Cyganów wędruje
lub do niedawna wędrowała. Większość – zwłaszcza

na Półwyspie Bałkańskim i Iberyjskim – od wieków prowadzi życie osiadłe. Ale i w tym przypadku żyją zwykle obok, a nie wewnątrz społeczności niecygańskiej. Powszechne separowanie się od Cyganów, odrzucanie ich przez otoczenie sprzyjało zachowaniu odrębności.

Życie obok społeczeństw większościowych i przedkładanie swojego świata i własnych norm nad te, którymi kieruje się społeczność, pośród której żyją, prowadziło często do konfliktów. Czyniło też z Cyganów społeczność tajemniczą, wzbudzającą ambiwalentne uczucia, która tyleż zaciekawia, co napawa lękiem. To sprzyjało kształtowaniu stereotypów – różnych w poszczególnych krajach; ale chyba zawsze wyziera z nich ta dwoistość postrzegania. W stereotypowej wizji zespala się pociągająca tajemniczość z pogardliwym stosunkiem do Cyganów, obarczanie ich najrozmaitszymi przewinieniami, przypisywanie występnego życia, niemoralnego prowadzenia się, porywania dzieci etc.

Obawa i niechęć prowadziły do prześladowań i rozmaitych form represji administracyjnych. Początki antycygańskich aktów prawnych sięgają przełomu wieków XV i XVI, jednak najtragiczniejsze były lata II wojny światowej i eksterminacja ludności cygańskiej. Często traktowani – już od czasów renesansu – jako dokuczliwi przybysze, utrapienie dla miejscowej ludności osiadłej i zagrożenie dla jej dobytku, Cyganie po dzień dzisiejszy niejednokrotnie stanowią kłopotliwy problem społeczny. W latach powojennych stosunek władz do Cyganów-Romów uległ zróżnicowaniu. W krajach zachodnich od zakazów, widocznych jeszcze w latach 60., przechodzono ku różnych formom oddziaływania tzw. pozytywnego na społeczności cygańskie, stopniowo niwelując dystans, podnosząc stan edukacji, także zmieniając ich stosunek do niecygańskiego prawa. Pomagały w tym kościoły, organizacje pozarządowe, szkoły i naukowcy. W ciągu kilkudziesięciu lat poziom życia, higieny i edukacji Cyganów w Europie Zachodniej uległy poprawie i dziś znacznie się różni od poziomu życia ich pobratymców w Europie Wschodniej.

Ogólne zasady polityki ekonomicznej i wewnętrznej, brak wykształcenia wędrowców, nędza sporej części wschodnioeuropejskich Cyganów nie pasowały do ideologicznego przesłania państw „obozu postępu", wysiłek więc skierowano ku administracyjnemu doprowadzeniu Cyganów do zaniechania wędrowania, do ich – jak to określano – produktywizacji. Kiedy zaś osiedli, władze przestały właściwie interesować się nimi, jakby problemy inne – ekonomiczne, psychologiczne, społeczne – jakie musiały pojawić się w rezultacie tak drastycznej zmiany w sposobie życia, przestały istnieć wraz z osiedleniem. Oczywiście inaczej sytuacja przedstawiała się w Polsce, gdzie społeczność Cyganów-Romów nie jest zbyt liczna (dwadzieścia kilka tysięcy, na niewiele mniej niż 40 mln obywateli kraju), a inaczej w Bułgarii lub Rumunii, gdzie na 8 czy nawet 22 mln obywateli przypada po kilkaset tysięcy Cyganów. Zmiany ekonomiczne – następstwo zmian politycznych ostatnich lat w krajach Europy Wschodniej – naruszyły kruchą, wypracowaną już przez Cyganów w ciągu kilkudziesięciu lat stabilizację. Większość z nich nie ma wykształcenia ani przygotowania zawodowego; wykonywali najczęściej proste prace robotników niewykwalifikowanych. Część trudniła się rzemiosłem lub handlem. Upadek nierentownych zakładów wyrzucił na bruk setki Cyganów. Rozpad Jugosławii i Czechosłowacji spowodował, że pośród tych, których najbardziej to dotknęło, znaleźli się właśnie Cyganie.

Jest swoistym paradoksem, że w krajach byłego Związku Radzieckiego kondycja Romów jest lepsza niż w dawnych krajach satelickich. Istotną przyczyną jest liczebność – żyje ich na tym obszarze ok. 200 tys., co jest liczbą niewielką w porównaniu z ogólną liczbą mieszkańców. Restrykcyjna polityka wewnętrzna, ideologia, przymus pracy już dawno zmieniły życie Cyganów; kolejne generacje przystosowały się do warunków i możliwości.

Zmiany, jakie dokonały się w okresie ostatnich lat, nie zmuszały do emigracji, zresztą zasadnicze

przeobrażenia nadal są przed tymi krajami (poza
państwami bałtyckimi). Ale tzw. szara strefa i dla
Cyganów stała się szansą zdobywania środków do
życia i bogacenia; oprócz handlu niektóre grupy
zaczęły się zajmować zbytem narkotyków, to zaś
świadczy nie tylko o rodzaju powiązań, także o od-
rzuceniu zasad, które obowiązywały niegdyś – alko-
holizm, prostytucja, narkotyki były surowo piętno-
wane przez tradycyjne autorytety grup romskich.

Zagrożenie wybuchami agresji, mit, że tam, na
Zachodzie, żyje się lekko, bo państwo opiekuje się
uchodźcami, otwarcie granic i łatwość przemiesz-
czania się, skłoniło niektórych Cyganów-Romów do
poszukiwania ziemi bardziej szczęśliwej. Z Rumunii
i Bułgarii wlała się do Polski fala uchodźców, pró-
bujących tędy dotrzeć do strefy dobrobytu. Z Polski, później z Czech i Słowacji, ruszyły rodziny
i grupy rodzimych Cyganów do Anglii, a potem
Danii i Finlandii, bo obawa i bieda, i nadzieja
wygnały ich z domostw. Konsekwencją było wpro-
wadzenie barier ochronnych w postaci wiz, a że
przepis dotknął wszystkich obywateli, a nie tylko
Cyganów, znów nasiliła się niechęć do nich.

„My nie jesteśmy problemem, to my mamy problemy" – to hasło części romskich działaczy politycznych pojawiło się także z okazji sesji OBWE,
która miała miejsce przed kilkoma laty w Warszawie. Prawda tego hasła jest jednak niepełna.

Przyjrzenie się sytuacji Romów w krajach Europy Wschodniej pokazuje, że faktycznie mają problemy spowodowane brakiem wykształcenia, brakiem pracy, niedostatkiem sprawiedliwości społecznej. Jeśli zestawić to z sytuacją ekonomiczną tych krajów, to wyrwanie się z obszaru nędzy jest niemal niemożliwe. Ale nieprawdą jest, że sami Romowie nie są problemem; nieprzestrzeganie przyjętych zasad społecznego funkcjonowania trudno uznać za rzecz bagatelną. Ci, którzy uciekając przed biedą albo prześladowaniami, poprosili o azyl polityczny w Finlandii albo na Wyspach Brytyjskich, stali się obciążeniem dla budżetu państwa, a pośrednio dla podatników. I nawet jeśli podatnicy popierają pomaganie prześladowanym, to nie muszą być zachwyceni, kiedy odbywa się to ich kosztem. Zwłaszcza gdy widzą nieskuteczność pomocy, bo jest ona po prostu przejadana czy trwoniona, a rozdawnictwo przyciąga kolejne grupy potrzebujących. Przy tym życie na koszt państwa dla części uchodźców stało się sposobem egzystencji. Tak więc prawdziwiej będzie powiedzieć, że niekiedy są problemem, ale przede wszystkim to Cyganie mają problemy.

Prezentowany zbiór reportaży pokazuje najpoważniejsze zagadnienia i współczesne problemy Cyganów-Romów. Nie należy ich odnosić wyłącznie do jednego kraju czy grupy; autorka opisuje zjawiska, z jakimi borykają się, czy wobec jakich stają obecnie Cyganie w pokomunistycznej Europie. Spomiędzy biedy, braku perspektyw, czasami nawet nadziei, wyziera jeszcze jeden kłopot cygański. Jest nim konflikt starszej generacji i tradycyjnych przywódców z młodszymi liderami, kreującymi się na polityków i obrońców sprawy cygańskiej. Starają się oni nie sprzeniewierzyć zasadom *romanipen*, ale kierując aktywność ku najważniejszym instytucjom państwowym, wychodząc poza własną społeczność, właśnie ów zakaz przekraczają. Chcąc wywalczyć dla Cyganów prawa i miejsce, jakie porozumienia międzynarodowe gwarantują innym europejskim mniejszościom, wychodzą poza hermetyzm grupy. Ten zasadniczy splot problemów, nierozwiązywalnych właściwie, widoczny jest w reportażach. Jak bowiem pogodzić cygańskość i tradycyjną nieufność do świata niecygańskiego, separowanie się z nowoczesnością i walką o polityczne prawa, i jak poprawić stosunek otoczenia do Cyganów, zmienić ich brak wykształcenia, nędzę, nie niszcząc związków rodowych i grupowych, etosu i *romanipen* – tego, co ich tak silnie łączy i co tak ważne jest dla tożsamości grupy i jej samoświadomości. Czy jest to możliwe i w jakim stopniu, ile musi przeminąć generacji, by stało się to realne, nikt nie jest w stanie dziś odpowiedzieć; także Cyganie-Romowie.

Lech Mróz

„Testament Cygana Felusia"

Pleszew● ●Warszawa

POLSKA

Most● ●Praga Libiąż●
                Oświęcim●
CZECHY   ●Czarna Góra
„Sen do obiadu, zabawa do rana"
„Romska kraina Jej Królewskiej Mości"
SŁOWACJA ●Koszyce
●Bratysława

●Budapeszt
WĘGRY
„W czarnym wąwozie"   „Limalo szuka prawdziwych Cyganów"
●Pecz

●Fagaras
●Sibiu
RUMUNIA
●Bukareszt

●Plewen
●Łowecz
BUŁGARIA ●Sliwen
●Sofia
Stara Zagora
●Skopie „Karcer"
MACEDONIA
„Erdelezi"

BIBLIOGRAFIA

Adam Bartosz, *Nie bój się Cygana*, Sejny 1994

Stanęły wozy kolorowe, red. A. Bartosz, Tarnów 1966

Jerzy Ficowski, *Cyganie na polskich drogach*, Kraków 1985

Menyhert Lakatos, *Krajobraz widziany przez dym*, Warszawa 1979

Andrzej Mirga, *Romowie – proces kształtowania się podmiotowości politycznej* w: *Mniejszości narodowe w Polsce*, Warszawa 1998

Andrzej Mirga, Nicolae Gheorghe, *Romowie w XXI wieku*, Kraków 1998

Andrzej Mirga, Lech Mróz, *Cyganie. Odmienność i nietolerancja*, Warszawa 1994

Raport European Roma Rights Center: *Profession: Prisoner. Roma in Detention in Bulgaria*, Country Reports Series, No. 6, December 1997

Legenda o stworzeniu świata na podstawie książki Jerzego Ficowskiego *Gałązka z Drzewa Słońca*, Warszawa 1989

Spis treści:

Drukarnia Wydawnicza im. W. L. Anczyca S.A. w Krakowie
Druk z dostarczonych diapozytywów. Zam. 694/00